GW00400280

Né en 1865, à Dublin, William Butler Yeats passe son enfance entre Londres et le comté de Sligo. Il publie son premier recueil de poèmes en 1889 et la même année tombe amoureux de Maud Gonne, une actrice révolutionnaire qui l'entraîne dans l'action nationaliste. Il publie ses premiers essais, s'attache à promouvoir la culture irlandaise, fonde l'Irish National Theatre Society en 1901 et participe en 1904 à la création du célèbre Abbey Theatre de Dublin. Outre son œuvre poétique et théâtrale, il multiplie les conférences, compose des anthologies de contes traditionnels, écrits des textes autobiographiques. Ses premières œuvres proches du romantisme, imprégnées du folklore irlandais, sont suivies par des textes résolument tournés vers la modernité. Il participe aux luttes nationalistes des années 20 et est nommé sénateur de l'État libre d'Irlande en 1922. Il reçoit le prix Nobel de littérature en 1923. En 1930, il se retire de la vie politique et part dans le sud-est de la France, où il meurt en 1939.

William Butler Yeats
Prix Nobel de littérature

LA ROSE
ET AUTRES POÈMES

POÈMES CHOISIS

Traduit de l'anglais (Irlande)
par Jean Briat

Édition bilingue

William Blake & Co. Edit.

TEXTE INTÉGRAL

ISBN 978-2-7578-1015-6
(ISBN 2-84103-075-X, 1re publication)

La littérature critique publiée sur l'œuvre de Yeats est d'une immense richesse et je n'aurai pas l'outrecuidance d'y ajouter un commentaire qui ne pourrait être qu'étriqué et insuffisant. Tel d'ailleurs n'est pas mon propos ni mon rôle de traducteur.

Qu'on me permette seulement de dire aux lecteurs de ces poèmes que j'invite à pénétrer dans l'intimité de Yeats quelle est, de toutes les forces qui animent son œuvre comme la vie anime un être, celle qui m'a paru de façon surprenante, insistante, violente, le mieux exprimer sa personnalité, celle qui, au fil des traductions, a presque guidé ma plume ; cette force c'est l'amour, un amour irrationnel, passionné, total, oui absolu pour la vie, évidemment – mais cela est banal de le dire d'un poète – mais bien plus précisément pour les femmes. Yeats est en effet un grand, un extraordinaire amoureux : tant d'autres critiques ont fait valoir son goût du mystère, de l'invisible, sa foi dans le spirituel, dans l'occultisme, son approfondissement de la pensée orientale et de son irrationalité, sa vision symbolique du monde, son aptitude stupéfiante à traduire en symboles les réalités de sa vie, symboles tout à la fois éternels, repris à d'autres mais en même temps, qu'il s'est appropriés, a syncrétisés et personnalisés dans un système emblématique qu'il est le seul à avoir aussi bien maîtrisé. Tout cela est vrai, bien sûr, et ce n'est pas une des moindres difficultés à laquelle le traducteur est confronté ; mais au-dessous, persistante comme une source puissante, comme une lame de fond, il y a la passion de cet homme qui ne croit en l'être humain que s'il est capable de cette haute tension, puis-je dire de ce voltage élevé par où et grâce auquel il perçoit la grandeur tragique de l'existence. « De notre confrontation avec les autres, nous faisons de la rhétorique : mais de notre confrontation avec nous-mêmes, nous faisons de la poésie. » *(Mémoires).*

Je crois que l'œuvre de Yeats eût été différente si sa vie entière n'avait pas été traversée, labourée, déchirée et en même temps magnifiée par son amour malheureux – pouvait-il être autrement ? – pour Maud Gonne. Et s'il est vrai, comme le dit N. Jeffares, que Maud avait en horreur la réalité sexuelle, alors comment ne pas saisir les ravages et en même temps l'excitation que cette union impossible a causés en lui. Toujours demandeur, quémandeur d'amour, toujours refusé, et par la mère et par la fille, Yeats se voit, se sent vieillir et cette lente décrépitude du corps (qu'il ressentait bien plus qu'elle n'était réelle) cette trahison par son être physique de ses ambitions, de ses désirs spirituels, intellectuels et sexuels, qui eux ne faiblissaient pas, a fait la substance tragique dont s'est nourrie et enrichie l'œuvre de sa maturité.

Car son œuvre est le reflet d'une conception de la vie comme tragédie, comme tension fructueuse entre ses contraires, comme conflit assumé et chéri entre des forces antagonistes qu'elle dépasse et sublime.

L'amour du poète post-romantique avec sa mélancolie, sa tristesse parfois suave, ses couleurs préraphaélites, s'est ainsi progressivement mué, grâce à ce drame intérieur, en passion altière, mais sa souffrance, loin d'être subie, a été assumée, maîtrisée, dominée par une discipline intellectuelle et spirituelle, savamment, consciemment étudiée et pratiquée : recherche d'un anti-moi, d'un double contraire, d'un masque qui n'est plus simple pose esthétique comme chez O. Wilde, mais exercice de l'esprit et du corps, exercice et presque exorcisme qui lui permet de se détacher d'eux pour mieux s'en pénétrer.

Que cette froideur glaciale, cette dureté adamantine, cette rigueur sévère fussent, comme le pensait son père, la part des Pollexfen en lui ou qu'elles fussent le résultat calculé d'une pratique d'hygiène mentale – ce que je crois – l'essentiel est de voir quelle pureté, quelle exaltation, quelle noblesse elles ont données à son œuvre.

Noblesse et pureté d'autant plus admirables que transpercent sans cesse les cris douloureux du cœur et du corps, même s'il leur donne le ton strident de la moquerie ou du sarcasme ; c'est l'homme vieilli qui avait demandé à subir une opération de rajeunissement qui invente Jeanne la Folle, l'anti-Maud, la fille des rues au parler franc qui, au contraire de Maud, se complaît dans l'amour sexuel en sachant tout de sa réalité corporelle et en l'acceptant.

Oui, Yeats est sûrement un poète symboliste, mais il est surtout un poète tragique parce qu'il est un grand amoureux et cet amour traversé d'orages mais toujours aussi vivant me semble la grande force qui anime son œuvre, force dynamique, exaltante, qui éclate dans cette joie altière de l'être tout entier (« gay » est un des adjectifs les plus difficiles à traduire), cette joie qui est chez lui une autre forme de la catharsis et dont il disait qu'elle est l'essence de toute tragédie.

Au sortir de ce travail de traduction, j'éprouve un sentiment mêlé de plénitude et d'insatisfaction. Plénitude d'avoir fréquenté, sondé, analysé, pris à bras le corps ces merveilleux poèmes de Yeats, le plus grand poète de l'Irlande et assurément l'un des plus grands poètes de langue anglaise des temps modernes, mais insatisfaction de n'avoir pas toujours trouvé l'heureuse expression, le mot juste ou la bonne cadence dans notre langue, à maints égards si différente de l'anglaise.

Entreprendre la traduction de cette œuvre immense, c'est s'engager dès l'abord à en respecter la densité, la surprenante simplicité, et, pour utiliser un mot que T.-S. Eliot employait en parlant de Yeats, « l'intégrité ». Cela implique une humble fidélité à l'évolution constante de l'expression poétique de Yeats, d'un langage orné, héritage du post-romantisme, à un langage dépouillé, dur et « passionné » (mot cher à Yeats entre tous).

Puisque traduire n'est pas, ne peut pas être dire la même chose, et que dans le passage d'une langue à l'autre s'opère une savante alchimie dont les recettes ne peuvent se codifier, je me suis laissé guider par les deux principes qui pour Yeats étaient le fondement de toute poésie et qu'il rappelait en 1936 dans ses lettres à Dorothy Wellesley : écrire « les mots naturels dans un ordre naturel », c'est-à-dire « s'exprimer comme le commun des mortels » et d'autre part « trouver un rythme naturel ». Ces deux soucis qu'il avait d'aller à l'essentiel dans un langage simple proche de la musique, j'ai tâché de les faire miens. Les lecteurs seuls diront si j'y suis parvenu, ne serait-ce que quelques fois.

Quant au choix des poèmes, il ne peut contenter tous les amoureux de Yeats qui regretteront inévitablement l'absence de tel ou tel de leurs poèmes favoris. J'ai cependant essayé de reproduire la richesse et la variété de la palette yeatsienne, des textes rêveurs du début dans les *Errances d'Ossian* ou les poèmes de *Chemins Croisés* jusqu'à ceux des *Derniers Poèmes* comme *Les Spires* ou *Les Statues* où la langue, en se dénudant, parvient à exprimer de façon étonnante la complexité de la pensée.

J'espère que la figure de Yeats, homme de pensée, de cœur mais surtout de chair, y apparaîtra non déformée.

*
* *

P.S. Pour ce qui est des notes ajoutées aux poèmes, elles ne veulent aucunement être un commentaire et encore moins un jugement ; elles visent essentiellement à apporter certains éclaircissements sur les lieux et les personnes mentionnés dans les poèmes ; elles cherchent aussi parfois à attirer l'attention du lecteur sur les affinités qui existent entre les images, les métaphores ou les symboles de poèmes différents, montrant ainsi, au-delà de la diversité, l'existence entre eux d'une unité profonde.

JEAN BRIAT

Je tiens à remercier :
– mes collègues du collectif de traduction du Groupe d'Études et de Recherches Britanniques de l'Université de Bordeaux III pour leurs judicieux avis et leurs encouragements,
– le Professeur Colin Meir de l'Université de l'Ulster qui m'a aidé dans le choix des poèmes,

11

– mes collègues philosophes MM. Guérineau et Lardy pour les éclaircissements qu'ils ont apportés à certaines références philosophiques des poèmes,

– mon fils Pierre qui m'a aidé à relire les épreuves.

LES ERRANCES D'OSSIAN
(CHANT I)

*

THE WANDERINGS OF OISIN
(BOOK I)

1889-1908
(VERSION DE 1908)

HE WANDERINGS OF OISIN

BOOK I

S. Patrick

You who are bent, and bald, and blind,
With a heavy heart and a wandering mind,
Have known three centuries, poets sing,
Of dalliance with a demon thing.

Oisin

Sad to remember, sick with years,
The swift innumerable spears,
The horsemen with their floating hair,

LES ERRANCES D'OSSIAN[1]
1889/1908 (VERSION DE 1908)

CHANT I : « L'ÎLE DES VIVANTS »

Saint Patrick[2]

Te voilà maintenant courbé, aveugle et chauve,
Et ton cœur est lourd et ton esprit rêve encore ;
Tu as pourtant aimé, racontent les poètes,
Pendant trois siècles, un être du démon[3].

Ossian[4]

J'ai tristesse aujourd'hui, fatigué de vieillesse,
Au souvenir des lances rapides comme l'éclair,
Des cavaliers et de leur chevelure flottante,

1. En note à ce poème, Yeats écrivit en 1912 :
« Ce poème se fonde sur des dialogues écrits en « Middle Irish » (fin du M.-A.) entre St Patrick et Ossian et sur un poème en gaélique du siècle dernier. Les événements qu'il décrit sont censés avoir lieu à une époque indéterminée, qui rassemble plusieurs époques, plutôt qu'à un moment précis de l'histoire. C'est pourquoi s'y mêlent beaucoup d'éléments médiévaux et beaucoup d'autres plus anciens. »
L'autre source dont Yeats a pu s'inspirer est le livre de Lady Gregory, *Dieux et guerriers*, compilé dès 1889 et que Yeats connaissait probablement.
2. St Patrick (390-461 ap. J.-C.) Saint Patron de l'Irlande, introduisit le Christianisme en Irlande (Croix de St Patrick).
3. Niam (pron. : niv) fille d'Aengus et Edain, incarne la beauté.
4. Usheen (en gaélique *oisin* signifie « le petit faon »), fils de Finn McCool et de Saeve (de la race des Sidhe) (pron. : chi).

15

And bowls of barley, honey, and wine,
Those merry couples dancing in tune,
And the white body that lay by mine;
But the tale, though words lie lighter than air,
Must live to be old like the wandering moon.

Caoilte, and Conan, and Finn were there,
When we followed a deer with our baying hounds,
With Bran, Sceolan, and Lomair,
And passing the Firbolgs' burial-mounds,
Came to the cairn-heaped grassy hill
Where passionate Maeve is stony-still;
And found on the dove-grey edge of the sea
A pearl-pale, high-born lady, who rode
On a horse with bridle of findrinny;
And like a sunset were her lips,
A stormy sunset on doomed ships;
A citron colour gloomed in her hair,
But down to her feet white vesture flowed,
And with the glimmering crimson glowed
Of many a figured embroidery;
And it was bound with a pearl-pale shell
That wavered like the summer streams,
As her soft bosom rose and fell.

S. Patrick

You are still wrecked among heathen dreams.

Des grands bols d'orge clair, de vin et de miel,
De ces couples joyeux qui dansaient en cadence
Et de ce corps si blanc couché auprès du mien ;
Qu'importe si les mots sont plus légers que l'air,
Il faut que cette geste garde son histoire
Aussi longtemps que la lune vagabonde.

Il y avait Caolte[1] et Conan[5] et Finn[2]
Et nous suivions le daim aux abois de nos chiens
Avec Bran, Sgeolan et Lomair[3] ;
Nous avions dépassé les tertres des Firbolgs[4]
Et la colline herbeuse et ses cairns funéraires
Où Maive[5] la passionnée dort son sommeil de pierre
Quand au bord de la mer, gris comme une colombe,
Nous vîmes sur son cheval à bride de vermeil
Une dame altière au teint pâle et nacré ;
Ses lèvres ressemblaient au coucher du soleil[6],
Un coucher de soleil sur des navires perdus ;
Un reflet jaune vif luisait dans ses cheveux,
Mais une robe blanche coulait jusqu'à ses pieds
Où brillaient d'un éclat moiré et cramoisi
Les dessins ouvragés de maintes broderies ;
Sa poitrine était ceinte d'une écaille de nacre
Dont les reflets tremblaient comme un ruisseau d'été
Au rythme doux de sa respiration.

Saint Patrick

Tu restes encore perdu dans tes rêves païens.

1. Guerriers de Finn.
2. Chef des Fenians.
3. Deux chiens à courre et leur chiot.
4. Envahisseurs préhistoriques antérieurs aux Danéens (2400 av. J.-C.).
5. Reine mythique du Connaught enterrée sur Knockarea.
6. Ce portrait rappelle le type de beauté cher aux Préraphaélites.

Oisin

'Why do you wind no horn?' she said,
'And every hero droop his head?
The hornless deer is not more sad
That many a peaceful moment had,
More sleek than any granary mouse,
In his own leafy forest house
Among the waving fields of fern:
The hunting of heroes should be glad.'

'O pleasant woman,' answered Finn,
'We think on Oscar's pencilled urn,
And on the heroes lying slain
On Gabhra's raven-corered plain;
But where are your noble kith and kin,
And from what country do you ride?'

'My father and my mother are
Aengus and Edain, my own name
Niamh, and my country far
Beyond the tumbling of this tide.'

'What dream came with you that you came
Through bitter tide on foam-wet feet?
Did your companion wander away
From where the birds of Aengus wing?'

Thereon did she look haughty and sweet:
'I have not yet, war-weary king,

« Pourquoi ne sonnez-vous d'aucune trompe », dit-elle
Pourquoi tous ces héros baissent-ils donc la tête ?
Le daim sans cornes au poil plus doux
Et plus luisant que la souris des granges
N'est pas plus triste quand s'achèvent pour lui
Les longues heures de paix qu'il a eues sous les branches
De sa forêt, parmi les champs balancés de fougères :
« C'est dans la joie que doivent chasser les héros. »

« Charmante dame », répondit Finn
« C'est que nous songeons tous à l'urne gravée d'Oscar
Et à tous les héros qui gisent égorgés
Dans la plaine de Gavra[1] sous le vol des corbeaux ;
Mais où sont tes amis et tes nobles parents
Et de quelle contrée viens-tu en chevauchant ? »

« Mon père est Aengus[2] et Adene[3] ma mère
Et mon nom est Niam et mon pays est loin
Bien au-delà des flots agités de la mer. »

« Quel rêve t'a poussée à venir jusqu'ici
Par cette mer cruelle, les pieds mouillés d'écume ?
Ton compagnon a-t-il abandonné ces lieux
Où frissonnent les ailes des oiseaux d'Aengus ? »[4]

Une lueur de mépris passa dans ses yeux doux :
« On n'a jamais encore, roi chargé de batailles,

---

1. Lieu de la grande bataille au cours de laquelle les Fenians perdirent le pouvoir.
2. Aengus : Dieu de l'Amour, de la Beauté, de la Poésie, fils de Dagdé.
3. Adene ou Edain, épouse de Cochaid, grand roi de l'Irlande, que les fées (les Sidhe) enlevèrent au cours d'une fête.
4. Quatre oiseaux nés de ses baisers.

Been spoken of with any man;
Yet now I choose, for these four feet
Ran through the foam and ran to this
That I might have your son to kiss.'

'Were there no better than my son
That you through all that foam should run?'

'I loved no man, though kings besought,
Until the Danaan poets brought
Rhyme that rhymed upon Oisin's name,
And now I am dizzy with the thought
Of all that wisdom and the fame
Of battles broken by his hands,
Of stories builded by his words
That are like coloured Asian birds
At evening in their rainless lands.'

O Patrick, by your brazen bell,
There was no limb of mine but fell
Into a desperate gulph of love!
'You only will I wed,' I cried,
'And I will make a thousand songs,
And set your name all names above,
And captives bound with leathern thongs
Shall kneel and praise you, one by one,
At evening in my western dun'

'O Oisin, mount by me and ride
To shores by the wash of the tremulous tide,

Osé parler de mes amours ;
Aujourd'hui cependant c'est moi qui viens choisir ;
Pour cela ces sabots ont couru sur l'écume,
C'est moi qui viens choisir et je choisis ton fils. »

« N'y avait-il pas plus beau et plus grand que mon fils
Pour que tu sois venue à travers tant d'écume ? »

« Je n'aimais pas,
Les prières des rois ne pouvaient me fléchir ;
Mais un jour j'entendis les poètes danéens [1]
Chanter des vers où rimait le doux nom d'Ossian,
Et je rêve aujourd'hui de sa grande sagesse,
De la gloire des batailles conquise par ses mains,
Des contes qu'il a su bâtir avec des mots
Pareils en leurs couleurs aux oiseaux de l'Asie
Le soir sur leurs terres sans pluie. »

Ô Patrick, par ta cloche d'airain,
Mon être entier sombra dans un gouffre d'amour.
« Toi seule j'épouserai » m'écriai-je
« Pour toi seule je ferai des milliers de chansons,
Je placerai ton nom au-dessus de tout autre
Et des captifs liés par des lanières de cuir
Viendront s'agenouiller et glorifier ton nom
Un à un, tous les soirs, dans mon fort d'Occident. »

« Ossian, dit-elle, monte avec moi et nous chevaucherons
Vers des grèves lavées par les vagues tremblantes

1. Peuple mythique, les Tuatha Dé Danaan, venus des « îles de l'Ouest » où ils étudiaient la magie et qui sont de race divine ; ils forment la tribu de la déesse Danu ; longtemps ils régnent sur l'Irlande mais, après avoir vaincu les monstrueux Fomoré, ils sont à leur tour vaincus (vers 1000 av. J.-C.) par la tribu des « Milésiens ». L'île devient Erinn. Ils se retirent au pays de « l'Au-Delà », n'exigeant qu'un culte à leur souvenir et progressivement sont assimilés au peuple des fées.

Where men have heaped no burial-mounds,
And the days pass by like a wayward tune,
Where broken faith has never been known,
And the blushes of first love never have flown;
And there I will give you a hundred hounds;
No mightier creatures bay at the moon;
And a hundred robes of murmuring silk,
And a hundred calves and a hundred sheep
Whose long wool whiter than sea-froth flows,
And a hundred spears and a hundred bows,
And oil and wine and honey and milk,
And always never-anxious sleep;
While a hundred youths, mighty of limb,
But knowing nor tumult nor hate nor strife,
And a hundred ladies, merry as birds,
Who when they dance to a fitful measure
Have a speed like the speed of the salmon herds,
Shall follow your horn and obey your whim,
And you shall know the Danaan leisure;
And Niamh be with you for a wife.'
Then she sighed gently, 'It grows late.
Music and love and sleep await,
Where I would be when the white moon climbs,
The red sun falls and the world grows dim.'

And then I mounted and she bound me
With her triumphing arms around me,
And whispering to herself enwound me;
But when the horse had felt my weight,
He shook himself and neighed three times:
Caoilte, Conan, and Finn came near,
And wept, and raised their lamenting hands,
And bid me stay, with many a tear;
But we rode out from the human lands.

Où tu ne verras point les tombes des humains,
Où les jours glissent comme une douce musique,
Où personne jamais n'a trahi son serment,
Où l'amour en naissant n'apprend pas à rougir ;
Je te donnerai une meute de cent chiens :
Jamais bêtes plus fortes n'ont hurlé à la lune ;
Te donnerai cent robes de soie chuchotante
Une centaine de génisses et cent moutons
De longue laine plus blanche qu'écume de la mer,
Et cent épieux de chasse et cent arcs aussi
Et de l'huile et du vin et du miel et du lait
Et un sommeil profond sans angoisse ni songes ;
Aux appels de ta trompe et à tous tes désirs
Viendront cent jeunes hommes de puissante stature
Mais ignorant le bruit, la haine et la querelle
Avec cent belles dames gaies comme des oiseaux
Qui dansent et bondissent au rythme capricieux
Avec la fougue du saumon ;
Et tu connaîtras le loisir danéen
Et tu auras Niam avec toi pour épouse. »
Puis dans un doux soupir : « Il se fait tard », dit-elle
« La musique, l'amour, le sommeil nous attendent
J'aimerais être là-bas quand monte la lune blanche
Quand sombre le rouge soleil et que s'estompe le monde. »

Près d'elle je montai ;
Elle passa en triomphe ses bras autour de moi
Et dans un doux murmure elle m'enlaça ;
Mais le cheval sous mon poids se prit à broncher
Et poussa par trois fois un long hennissement ;
Caolte et Conan et Finn s'approchèrent
En pleurs et de leurs mains me dirent un triste adieu :
« Demeure auprès de nous », disaient-ils dans leurs
    larmes ;
Mais le cheval partit loin des terres des hommes.

In what far kingdom do you go,
Ah, Fenians, with the shield and bow?
Or are you phantoms white as snow,
Whose lips had life's most prosperous glow?

O you, with whom in sloping valleys,
Or down the dewy forest alleys,
I chased at morn the flying deer,
With whom I hurled the hurrying spear,
And heard the foemen's Bucklers rattle,
And broke the heaving ranks of battle!
And Bran, Sceolan, and Lomair,
Where are you with your long rough hair?
You go not where the red deer feeds,
Nor tear the foemen from their steeds.

S. Patrick

Boast not, nor mourn with drooping head
Companions long accurst and dead,
And hounds for centuries dust and air.

Oisin

We galloped over the glossy sea:
I know not if days passed or hours,
And Niamh sang continually
Danaan songs, and their dewy showers
Of pensive laughter, unhuman sound,
Lulled weariness, and softly round
My human sorrow her white arms wound.
We galloped; now a hornless deer

En quel lointain royaume êtes-vous donc allés
Fenians, avec votre arc et votre bouclier ?
Ou bien revenez-vous, fantômes blancs de neige,
Dont les lèvres jadis avaient le feu de la vie ?

Ô vous que je suivais au versant des vallées,
Au fond de nos forêts dans les sentiers mouillés,
Au matin quand nous chassions le daim qui s'enfuit ;
Avec vous j'ai lancé les rapides épieux
Entendu le fracas des targes ennemies
Et brisé la marée des lignes en bataille !
Et vous Bran Sgeolan et Lomair
Où êtes-vous avec vos longs et rudes poils ?
Vous n'êtes pas aux lieux où broute le daim rouge,
Vous ne déchirez plus l'ennemi à cheval.

Saint Patrick

Cesse donc de pleurer ou de vanter si fort
Des compagnons depuis longtemps maudits et morts
Et des chiens qui ne sont plus que vent et poussière.

Ossian

Nous avons galopé sur la glace de la mer :
Je ne sais si ce fut des années ou des heures,
Et Niam chantait d'infinis chants danéens ;
Les perles en rosée de leur rire songeur
Et leurs accents divins endormaient ma fatigue,
Et ses bras blancs berçaient doucement ma tristesse.
Nous avons galopé ; un daim sans cornes un jour
Passa près de nous chassé par un chien fantôme

Passed by us, chased by a phantom hound
All pearly white, save one red ear;
And now a lady rode like the wind
With an apple of gold in her tossing hand;
And a beautiful young man followed behind
With quenchless gaze and fluttering hair.

'Were these two born in the Danaan land,
Or have they breathed the mortal air?'

'Vex them no longer,' Niamh said,
And sighing bowed her gentle head,
And sighing laid the pearly tip
Of one long finger on my lip.

But now the moon like a white rose shone
In the pale west, and the sun's rim sank,
And clouds arrayed their rank on rank
About his fading crimson ball:
The floor of Almhuin's hosting hall
Was not more level than the sea,
As, full of loving fantasy,
And with low murmurs, we rode on,
Where many a trumpet-twisted shell
That in immortal silence sleeps
Dreaming of her own melting hues,
Her golds, her ambers, and her blues,
Pierced with soft light the shallowing deeps.
But now a wandering land breeze came
And a far sound of feathery quires;

Au corps tout blanc de nacre sauf une oreille rouge[1] ;
Une dame à cheval passa comme le vent
Et sa main levée tenait une pomme d'or ;
Derrière chevauchait un homme jeune et beau
Les yeux assoiffés d'elle et les cheveux flottants.

« Ces deux-là sont-ils nés au pays Danéen
Ou ont-ils respiré l'air des terres humaines ? »

« N'ajoute pas à leur malheur » dit Niam, dans un soupir,
Et, penchant doucement vers moi sa tête
Elle posa sur ma lèvre avec un long soupir
L'ongle nacré de son doigt fin.

Mais la lune brillait à l'Occident pâli
Comme une blanche rose, et le bord du soleil
Se noyait peu à peu dans les bancs de nuages
Étagés autour de son orbe cramoisi :
Les dalles de pierre de la grande salle d'Allen[2]
N'étaient pas plus unies que les vagues de la mer,
Où le cœur plein de visions amoureuses
Nous chevauchions toujours parmi de doux murmures ;
Et bientôt la lueur pâle des conques en spirale
Qui dorment à jamais dans l'immortel silence
Bercées d'un rêve d'ambre doré et de bleu,
S'irisa à travers les profondeurs plus claires.
Une brise de terre bientôt nous arriva
Apportant du lointain des chants de chœurs d'oiseaux :
On aurait dit le souffle de flammes qui se meurent,

---

1. Image que l'on retrouve dans d'autres poèmes, cf. « La Folie du Roi Goll » (*Chemins Croisés*, 1889).

Il se lamente sur le changement qu'il a subi, ainsi que sa bien-aimée, et soupire après la fin du monde (*Le Vent dans les Roseaux, 1899*).

2. Allen ou Almhuin (pron. : aluin) : Château de Finn et quartier général des Fenians, sur la colline d'Allen, dans le Comté de Kildarc.

It seemed to blow from the dying fame,
They seemed to sing in the smouldering fires.
The horse towards the music raced,
Neighing along the lifeless waste;
Like sooty fingers, many a tree
Rose ever out of the warm sea;
And they were trembling ceaselessly,
As though they all were beating time,
Upon the centre of the sun,
To that low laughing woodland rhyme.

And, now our wandering hours were done,
We cantered to the shore, and knew
The reason of the trembling trees:
Round every branch the song-birds flew,
Or clung thereon like swarming bees;
While round the shore a million stood
Like drops of frozen rainbow light,
And pondered in a soft vain mood
Upon their shadows in the tide,
And told the purple deeps their pride,
And murmured snatches of delight;
And on the shores were many boats
With bending sterns and bending bows,
And carven figures on their prows
Of bitterns, and fish-eating stoats,
And swans with their exultant throats:

And where the wood and waters meet
We tied the horse in a leafy clump,
And Niamh blew three merry notes
Out of a little silver trump;
And then an answering whispering flew
Over the bare and woody land,
A whisper of impetuous feet,
And ever nearer, nearer grew;

On aurait dit le chant de ces braises tombantes.
Le cheval nous entraîna vers cette musique
Et se mit à hennir sur la morne étendue ;
Comme des doigts de suie des arbres par milliers
Se levaient un à un des eaux tièdes de la mer ;
Ils étaient agités d'un tremblement sans fin
Et semblaient rythmer sur le cœur du soleil
Cette chanson des bois et son rire profond.

Notre course errante était maintenant finie ;
À l'amble du cheval nous avons touché terre
Et je sus alors pourquoi ces arbres tremblaient :
Des oiseaux en chantant volaient autour des branches
Ou s'accrochaient à elles comme un essaim d'abeilles ;
Il y en avait aussi des milliers sur la grève :
On aurait dit des gouttes d'arc-en-ciel gelées ;
Ils contemplaient, songeurs, leurs ombres sur la mer
Avec, dans le regard, une fierté morose,
Qu'ils disaient aux mauves profondeurs,
En y mêlant des murmures de joie ;
Et les grèves au loin se couvraient de bateaux
Que la mer balançait de l'étrave à la poupe
Et qui portaient en proue les images gravées
De butors, d'hermines mangeuses de poissons
Et de cygnes à la gorge triomphante :

Et là-bas aux confins des vagues et des bois,
Le cheval attaché dans un bosquet feuillu,
Niam souffla par trois fois dans sa trompe d'argent
Une note joyeuse et claire ;
On entendit alors en réponse un murmure
Glisser sur la terre, les landes et les bois,
On entendit un murmure pressé de pas
Qui de plus en plus s'approchait de nous ;

And from the woods rushed out a band
Of men and ladies, hand in hand,
And singing, singing all together;
Their brows were white as fragrant milk,
Their cloaks made out of yellow silk,
And trimmed with many a crimson feather;
And when they saw the cloak I wore
Was dim with mire of a mortal shore,
They fingered it and gazed on me
And laughed like murmurs of the sea;
But Niamh with a swift distress
Bid them away and hold their peace;
And when they heard her voice they ran
And knelt there, every girl and man,
And kissed, as they would never cease,
Her pearl-pale hand and the hem of her dress.
She bade them bring us to the hall
Where Aengus dreams, from sun to sun,
A Druid dream of the end of days
When the stars are to wane and the world be done.

They led us by long and shadowy ways
Where drops of dew in myriads fall,
And tangled creepers every hour
Blossom in some new crimson flower,
And once a sudden laughter sprang
From all their lips, and once they sang
Together, while the dark woods rang,
And made in all their distant parts,
With boom of bees in honey-marts,
A rumour of delighted hearts.
And once a lady by my side
Gave me a harp, and bid me sing,
And touch the laughing silver string;
But when I sang of human joy
A sorrow wrapped each merry face,

Alors sortit des bois une troupe joyeuse
D'hommes et de femmes qui, la main dans la main,
Chantaient, chantaient en un immense chœur ;
Leurs fronts étaient aussi blancs que lait parfumé,
Et leurs manteaux étaient tissés d'une soie jaune
Abondamment ornée de plumes cramoisies ;
Le mien était terni de la terre des hommes ;
Ils voulurent le toucher et leurs yeux étonnés
Me fixaient et riaient et leur rire
Ressemblait au murmure des flots ;
Mais Niam prit peur et d'un geste rapide
Les écarta de moi et leur dit de se taire ;
À l'appel de sa voix, ils accoururent tous
Et chacun à genoux, jeune fille et garçon
Embrassa de baisers qui ne pouvaient finir
Sa main de blanc nacrée et l'ourlet de sa robe.
« Menez-nous à la salle », demanda-t-elle alors
« Où d'un soleil à l'autre Aengus poursuit
Un rêve druidique de la fin des temps,
Où les étoiles mourront quand s'éteindra le monde. »

Nous les suivîmes par de longs couloirs pleins d'ombre
Où tombent par myriades des gouttes de rosée
Et où dans l'entrelacs de leurs plantes grimpantes
Fleurit toutes les heures une nouvelle fleur de feu ;
Tantôt un rire soudain jaillissait de leurs lèvres
Tantôt ils chantaient tous en chœur et les sombres forêts
Renvoyaient en écho depuis leurs bords lointains
Une rumeur de cœurs en fête tout pareil
Au bourdon des abeilles sur les marchés à miel.
Une dame près de moi me donna une harpe
Et me dit de chanter et de m'accompagner
De la corde d'argent au rire léger ;
Mais quand ma voix chanta la joie des hommes,
Le rire de leurs yeux se voila de tristesse ;
Par ta barbe, Patrick, je vis couler des larmes ;

And, Patrick! by your beard, they wept,
Until one came, a tearful boy;
'A sadder creature never stept
Than this strange human bard,' he cried;
And caught the silver harp away,
And, weeping over the white strings, hurled
It down in a leaf-hid, hollow place
That kept dim waters from the sky;
And each one said, with a long, long sigh,
'O saddest harp in all the world,
Sleep there till the moon and the stars die!'

And now, still sad, we came to where
A beautiful young man dreamed within
A house of wattles, clay, and skin;
One hand upheld his beardless chin,
And one a sceptre flashing out
Wild flames of red and gold and blue,
Like to a merry wandering rout
Of dancers leaping in the air;
And men and ladies knelt them there
And showed their eyes with teardrops dim,
And with low murmurs prayed to him,
And kissed the sceptre with red lips,
And touched it with their finger-tips.

He held that flashing sceptre up.
'Joy drowns the twilight in the dew,
And fills with stars night's purple cup,
And wakes the sluggard seeds of corn,
And stirs the young kid's budding horn,
And makes the infant ferns unwrap,
And for the peewit paints his cap,
And rolls along the unwieldy sun,
And makes the little planets run:

L'un d'eux enfin vint vers moi tout en pleurs :
« Jamais être plus triste que ce barde des hommes
N'a marché par le monde », dit-il en sanglots,
Et m'arrachant des mains cette harpe d'argent
Il alla la jeter sous les feuilles en un creux
D'eaux mornes qui dormaient loin du ciel ;
Et chacun dit avec un infini soupir
« Ô triste harpe, la plus triste du monde,
Dors en ces lieux jusqu'au jour
Où mourront la lune et les étoiles. »

Et lors toujours aussi tristes, nous sommes arrivés
En un lieu où rêvait un homme jeune et beau
Dans sa demeure d'argile, de peaux et de roseaux ;
Dans une main reposait son menton imberbe,
Dans l'autre il tenait un sceptre d'où jaillissaient
D'étranges flammes rouges, or et bleues,
Telle une troupe folle de joyeux danseurs
Bondissant dans les airs ;
Chacun autour de lui vint s'agenouiller
Et dans leurs yeux les larmes avaient jeté un voile ;
Et leurs prières vers lui montèrent comme un murmure
Et de leurs lèvres rouges ils embrassaient le sceptre
Et le touchaient du bout de leurs doigts.

Alors il éleva ce sceptre flamboyant :
« La Joie inonde le crépuscule de rosée,
Emplit d'étoiles la coupe pourpre de la nuit
Et réveille les graines paresseuses du blé
Et pousse la corne naissante du chevreau
Et défroisse les plis des jeunes fougères
Et colore la crête de la mouette rieuse
Et roule sur sa route ce lourdaud de soleil
Et fait courir là-haut les petites planètes.

And if joy were not on the earth,
There were an end of change and birth,
And Earth and Heaven and Hell would die,
And in some gloomy barrow lie
Folded like a frozen fly;
Then mock at Death and Time with glances
And wavering arms and wandering dances.

'Men's hearts of old were drops of fame
That from the saffron morning came,
Or drops of silver joy that fell
Out of the moon's pale twisted shell;
But now hearts cry that hearts are slaves,
And toss and turn in narrow caves;
But here there is nor law nor rule,
Nor have hands held a weary tool;
And here there is nor Change nor Death,
But only kind and merry breath,
For joy is God and God is joy.'
With one long glance for girl and boy
And the pale blossom of the moon,
He fell into a Druid swoon.

And in a wild and sudden dance
We mocked at Time and Fate and Chance
And swept out of the wattled hall
And came to where the dewdrops fall
Among the foamdrops of the sea,
And there we hushed the revelry;
And, gathering on our brows a frown,
Bent all our swaying bodies down,
And to the waves that glimmer by
That sloping green De Danaan sod
Sang, 'God is joy and joy is God,

Et si la Joie n'était pas sur la terre
Naissance et changement alors ne seraient plus
Et la Terre et le Ciel et l'Enfer en mourraient
Et resteraient gisants sous un tertre lugubre
Tassés comme une mouche que le gel a frappée.
Riez alors du Temps et de la Mort
Par l'éclat de vos yeux, la grâce de vos bras
Et les arabesques de vos danses.

Les cœurs des hommes jadis étaient gouttes de flamme
Tombées du matin couleur de safran,
Ou gouttes de joie argentée tombées
De la conque en spirale de la lune pâle,
Mais les cœurs aujourd'hui pleurent leur esclavage
Et se retournent en vain dans leurs grottes étroites ;
Or ici il n'y a pas de loi, pas de règles,
Nos mains n'ont jamais su la fatigue de l'outil,
Ici il n'y a ni Mort ni Changement
Il n'y a que le souffle accueillant du plaisir ;
Toute Joie est Dieu et Dieu est toute Joie. »
Après un long regard sur chacun des fidèles
Et sur la pâle fleur de la lune,
Il sombra dans l'extase antique des Druides.

Dans une danse folle emportés tout à coup,
Nous avons ri alors du Temps et du Destin
Et nous avons quitté la salle aux murs de branches tressées
Et gagné les lieux où la rosée qui tombe
Mêle ses gouttes à l'écume de la mer ;
Et là nous avons tu notre folle gaieté ;
Notre front assombri et nos corps balancés
Se courbant vers les vagues qui miroitent auprès
Des pentes vertes du sol danéen, nous avons chanté :
« Toute Joie est Dieu et Dieu est toute Joie »
Et tout ce qui grandit en tristesse est mauvais

And things that have grown sad are wicked,
And things that fear the dawn of the morrow
Or the grey wandering osprey Sorrow.'

We danced to where in the winding thicket
The damask roses, bloom on bloom,
Like crimson meteors hang in the gloom,
And bending over them softly said,
Bending over them in the dance,
With a swift and friendly glance
From dewy eyes:'Upon the dead
Fall the leaves of other roses,
On the dead dim earth encloses:
But never, never on our graves,
Heaped beside the glimmering waves,
Shall fall the leaves of damask roses.
For neither Death nor Change comes near us,
And all listless hours fear us,
And we fear no dawning morrow,
Nor the grey wandering osprey Sorrow.'

The dance wound through the windless woods;
The ever-summered solitudes;
Until the tossing arms grew still
Upon the woody central hill;
And, gathered in a panting band,
We flung on high each waving hand,
And sang unto the starry broods.
In our raised eyes there fasted a glow
Of milky brightness to and fro
As thus our song arose:'You stars,
Across your wandering ruby cars
Shake the loose reins: you slaves of God,
He rules you with an iron rod,
He holds you with an iron bond,
Each one woven to the other,

Comme tout ce qu'effraie l'aube du lendemain
Ou l'orfraie grise et vagabonde du Chagrin.

Puis nous avons dansé jusqu'au cœur d'un taillis
Où des roses de Damas, en fleurs amoncelées,
Sont suspendues dans l'ombre en pourpres météores ;
Et nous penchant sur elles au rythme de la danse,
Nous avons murmuré tout en penchant sur elles
Un bref regard d'amour de nos yeux embués :
« Sur les morts tombent les feuilles des autres roses
Sur les morts se referme la terre triste et morne
Mais jamais non jamais sur nos tombes
Dressées au bord des vagues miroitantes
Ne tomberont les feuilles des roses de Damas.
Mort ni Changement jamais ne nous approchent
Et les heures indolentes ont peur de nous
De nous que n'effraie pas l'aube du lendemain
Ni l'orfraie grise et vagabonde du Chagrin. »

La danse déroula son ruban dans les bois,
Solitudes sans air à l'été éternel ;
Sur la colline au centre couverte d'un bosquet,
Les bras de nos danseurs s'apaisèrent enfin ;
Notre troupe haletante alors se rassembla
Et, levant vers le ciel nos mains ondoyantes,
Notre chant monta vers les couvains d'étoiles ;
Dans nos yeux levés passait, comme un éclair,
La lueur d'une clarté laiteuse
Et notre chant disait : « Ô vous, étoiles errantes,
Lâchez vos rênes sur vos nacelles de rubis,
Vous êtes les esclaves de Dieu,
Il vous mène de sa férule d'acier,
Il vous tient avec une règle d'acier,
Enlacées l'une à l'autre,

Each one woven to his brother
Like bubbles in a frozen pond;
But we in a lonely land abide
Unchainable as the dim tide,
With hearts that know nor law nor rule,
And hands that hold no wearisome tool,
Folded in love that fears no morrow,
Nor the grey wandering osprey Sorrow.'

O Patrick! for a hundred years
I chased upon that woody shore
The deer, the badger, and the boar.
O Patrick! for a hundred years
At evening on the glimmering sands,
Beside the piled-up hunting spears,
These now outworn and withered hands
Wrestled among the island bands.

O Patrick! for a hundred years
We went a-fishing in long boats
With bending sterns and bending bows,
And carven figures on their prows
Of bitterns and fish-eating stoats.
O Patrick! for a hundred years
The gentle Niamh was my wife;
But now two things devour my life;
The things that most of all I hate:
Fasting and prayers.

S. Patrick

Tell on.

38

Enlacées comme des sœurs
Telles des bulles d'air sur un étang gelé ;
Mais nous qui demeurons en des lieux solitaires
Aussi libres de chaînes que la mer vaporeuse,
Nos cœurs sont innocents des règles et des lois
Et nos mains n'ont pas su la fatigue de l'outil,
Lovés dans notre amour sans crainte de demain
Ni de l'orfraie grise et vagabonde du Chagrin ».

Ô Patrick ! Cent ans je suis resté
À poursuivre et chasser sur ces grèves boisées
Le daim, le blaireau et le sanglier.
Ô Patrick ! Cent ans je suis resté
Le soir parmi les sables miroitants
Où ces mains aujourd'hui fatiguées et flétries
Près des faisceaux dressés de nos épieux de chasse
Ont lutté parmi les bandes de ces îles.

Ô Patrick ! Cent ans je suis resté
À pêcher avec eux dans nos longues barques
Que la mer balançait de l'étrave à la poupe
Et qui portaient en proue les images gravées
De butors et d'hermines mangeuses de poissons.
Ô Patrick ! Cent ans je suis resté
Et Niam fut là-bas ma tendre et douce épouse ;
Mais deux choses aujourd'hui viennent ronger ma vie
Deux choses que je hais par dessus tout au monde :
Le jeûne et les prières.

Saint Patrick

Raconte encore.

Oisin

Yes, yes,
For these were ancient Oisin's fate
Loosed long ago from Heaven's gate,
For his last days to lie in wait.

When one day by the tide I stood,
I found in that forgetfulness
Of dreamy foam a staff of wood
From some dead warrior's broken lance:
I turned it in my hands; the stains
Of war were on it, and I wept,
Remembering how the Fenians stept
Along the blood-bedabbled plains,
Equal to good or grievous chance:
Thereon young Niamh softly came
And caught my hands, but spake no word
Save only many times my name,
In murmurs, like a frighted bird.
We passed by woods, and lawns of clover,
And found the horse and bridled him,
For we knew well the old was over.
I heard one say, 'His eyes grow dim
With all the ancient sorrow of men';
And wrapped in dreams rode out again
With hoofs of the pale findrinny
Over the glimmering purple sea.
Under the golden evening light,
The Immortals moved among the fountains
By rivers and the woods' old night;
Some danced like shadows on the mountains,
Some wandered ever hand in hand;
Or sat in dreams on the pale strand,
Each forehead like an obscure star

Ossian

Oui, encore.
Car ces jours furent les jours d'Ossian autrefois
Jadis lâchés vers lui de la porte du Ciel
Quand restaient à l'affût ses derniers jours de vie.

Un jour que j'étais là debout devant les vagues
Dans ce monde d'oubli où l'écume est un rêve,
Je trouvai sur la grève une hampe de bois,
Bout de lance brisée de quelque guerrier mort ;
Je la pris dans mes mains : il y avait dessus
Les taches de la guerre ; je me mis à pleurer
Au souvenir des Fenians qui marchaient
Par les plaines éclaboussées de sang,
De leur courage égal, en victoire ou défaite ;
Niam ma jeune épouse vint alors doucement
Vers moi et prit mes mains, mais elle ne me dit rien
Sauf mon nom, mon nom seul mille fois répété
Comme le murmure d'un oiseau apeuré.
À travers bois et champ de trèfle nous partîmes
Jusqu'au cheval qui fut tôt harnaché
Car nous savions bien que le passé était mort.
Quelqu'un près de moi dit : « Ses yeux se voilent
De tout le chagrin ancestral des hommes ».
Puis il disparut dans un nuage de rêves
Sur des sabots de pâle vermeil
Dans la moire pourpre de la mer
Sous la lumière d'or du soir.
Parmi les sources et le long des rivières
Et dans l'antique nuit des bois passaient les Immortels ;
Certains comme des ombres dansaient sur les montagnes,
D'autres erraient sans fin se tenant par la main,
Ou rêvaient accroupis sur le pâle rivage
Et ils baissaient leur front tel une étoile sombre

Bent down above each hookèd knee,
And sang, and with a dreamy gate
Watched where the sun in a saffron blaze
Was slumbering half in the sea-ways;
And, as they sang, the painted birds
Kept time with their bright wings and feet;
Like drops of honey came their words,
But fainter than a young lamb's bleat.

'An old man stirs the fire to a blaze,
In the house of a child, of a friend, of a brother.
He has over-lingered his welcome; the days,
Grown desolate, whisper and sigh to each other;
He hears the storm in the chimney above,
And bends to the fire and shakes with the cold,
While his heart still dreams of battle and love,
And the cry of the hounds on the hills of old.

'But we are apart in the grassy places,
Where care cannot trouble the least of our days,
Or the softness of youth be gone from our faces,
Or love's first tenderness die in our gaze.
The hare grows old as she plays in the sun
And gazes around her with eyes of brightness;
Before the swift things that she dreamed of were done
She limps along in an aged whiteness;
A storm of birds in the Asian trees
hike tulips in the air a-winging,
And the gentle waves of the summer seas,
That raise their heads and wander singing,
Must murmur at last, "Unjust, unjust";
And "My speed is a weariness," falters the mouse,
And the kingfisher turns to a ball of dust,
And the roof falls in of his tunnelled house.

42

Sur leur genou crochu ; ils chantaient
Et leurs yeux dans un songe regardaient le soleil
Sommeiller sur les mers dans sa gloire safran ;
Les ailes éclatantes des oiseaux bariolés
Battaient dans l'air au rythme de leur chant ;
Les mots nous parvenaient comme gouttes de miel
Mais plus faibles que le bêlement d'un agneau.

« Un vieillard ranime la flamme du foyer ;
Dans la maison d'un enfant, d'un ami, d'un frère ;
Il a trop attendu leur retour ; et les jours
Maintenant désolés chuchotent et soupirent ;
Là-haut la tempête crie dans la cheminée ;
Il se penche vers le feu et tremble de froid
Quand son cœur rêve encore de batailles et d'amour
Et des cris de la meute aux collines d'autrefois.

Mais nous sommes lointains en des contrées herbeuses
Où le souci jamais ne vient troubler nos jours
Où nos visages gardent la fleur de la jeunesse
Et nos yeux à jamais la douceur de l'amour.
Or le lièvre vieillit à jouer au soleil
Les yeux émerveillés de la clarté du monde ;
Et avant que s'enfuient ses rêves éphémères
Le voici lourd d'années, boitillant et chenu ;
Une nuée d'oiseaux dans les arbres d'Asie
Semblables dans leur vol aux fleurs du tulipier
Et les vagues en rides des mers de l'été
Qui debout sur leur crête chantent au gré des courants
Doivent dire tout bas : « C'est injuste, injuste » ;
« C'est trop vite ; je n'en peux plus » souffle la souris
Et le martin-pêcheur tombe en tas de poussière
Sous le toit effondré de son ancien tunnel.

But the love-dew dims our eyes till the day
When God shall come from the sea with a sigh
And bid the stars drop down from the sky,
And the moon like a pale rose wither away.'

Mais la rosée d'amour embrumera nos yeux
Jusqu'au jour où Dieu dans un soupir de la mer
Viendra dire aux étoiles de tomber du ciel
Et à la lune de passer comme une rose pâle. » [1]

1. Yeats rappelle, dans son *Autobiographie*, comment il se prit de passion pour l'aube (cf. le poème *L'Aube*) et note que cette passion était sincère et qu'elle correspondait à une émotion nouvelle. « Des années après que j'eus terminé *Les Errances d'Ossian*, mécontent de leurs coloris jaune et vert pâle, de leur palette outrée, héritage du mouvement romantique, je décidai de changer de style et recherchai délibérément à reproduire l'impression d'une lumière glacée et d'un déferlement de nuages. » (*Autobiographie*, p. 45.)

CHEMINS CROISÉS

*

CROSSWAYS
(1889)

THE STOLEN CHILD

Where dips the rocky highland
Of Sleuth Wood in the lake,
There lies a leafy island
Where flapping herons wake
The drowsy water-rats;
There we've hid our faery vats,
Full of berries
And of reddest stolen cherries.

Come away, O human child!
To the waters and the wild
With a faery, hand in hand,
For the world's more full of weeping than you can
    understand.

Where the wave of moonlight glosses
The dim grey sands with light,
Far off by furthest Rosses
We foot it all the night,
Weaving olden dances,

L'ENFANT VOLÉ

Où le plateau rocheux de Sleuth Wood[1]
Plonge dans le lac,
Il est une île feuillue[2]
Où les hérons dans un bruit d'ailes
Chassent les rats d'eau qui sommeillent ;
Nous y avons caché nos cuves de magiciennes
Emplies de baies
Et des plus rouges cerises
Que nous avons volées.

Viens-t'en là-bas, enfant humain !
Vers ce pays sauvage entouré d'eaux
Avec une fée, ta main dans sa main,
Car il y a dans le monde trop de larmes pour toi.

Où la vague de lune glace
De lumière les sables mornes et pâles,
Là-bas près des Rosses lointaines[3],
Nos pieds toute la nuit
Tissent les pas des danses de jadis,

1. Sleuth (ou Slish) Wood sur le Lough Gill, Comté de Sligo.
2. Innisfree.
3. Rosses Point : extrémité d'une langue de terre qui ferme au nord la baie de Sligo.

Mingling hands and mingling glances
Till the moon has taken fight;
To and fro we leap
And chase the frothy bubbles,
While the world is full of troubles
And is anxious in its sleep.

Come away, O human child!
To the waters and the wild
With a faery, hand in hand,
For the world's more full of weeping than you can
     understand.

Where the wandering water gushes
From the hills above Glen-Car,
In pools among the rushes
That scarce could bathe a star,
We seek for slumbering trout
And whispering in their ears
Give them unquiet dreams;
Leaning softly out
From ferns that drop their tears
Over the young streams.

Come away, O human child!
To the waters and the wild
With a faery, hand in hand,
For the world's more full of weeping than you can
     understand.

Away with us he's going,
The solemn-eyed:
He'll hear no more the lowing

Nos mains se croisent, nos yeux se croisent,
Jusqu'à l'heure où la lune s'enfuit ;
Nos corps en liberté bondissent
Et poursuivent la mousse d'écume
Quand le monde plein d'angoisse
Se retourne dans son sommeil.

Viens-t'en là-bas, enfant humain !
Vers ce pays sauvage entouré d'eaux
Avec une fée, ta main dans sa main,
Car il y a dans le monde trop de larmes pour toi.

Où l'eau vagabonde jaillit
Des collines au-dessus de Glen-Car[1]
Et coule en mares pleines de roseaux
Où ne pourrait se baigner une étoile,
Nous cherchons la truite qui sommeille
Pour lui souffler à l'oreille
Le trouble des cauchemars,
Languissamment penchées
Du cœur des fougères qui pleurent
Sur les eaux des jeunes courants.

Viens-t'en là-bas, enfant humain !
Vers ce pays sauvage entouré d'eaux
Avec une fée, ta main dans sa main,
Car il y a dans le monde trop de larmes pour toi.

Voici qu'avec nous il s'en va
L'enfant au regard grave :
Il n'entendra plus désormais

1. Vallée étroite où coule la rivière de Drumcliffe, surplombée par le massif de Tormore (Comté de Sligo).

Of the calves on the warm hillside
Or the kettle on the hob,
Sing peace into his breast,
Or see the brown mice bob
Round and round the oatmeal-chest.

For he comes, the human child,
To the waters and the wild
With a faery, hand in hand,
From a world more full of weeping than he can
    understand.

Les génisses mugir sur la tiède colline
Ni la bouilloire au coin du feu
Chanter la paix jusqu'au fond de son cœur ;
Et il ne verra plus
Sauter les souris brunes
Autour du coffre plein d'avoine.

Car il s'en vient, l'enfant humain,
Vers un pays sauvage entouré d'eaux
Avec une fée, la main dans sa main,
D'un monde qui pour lui est bien trop plein de larmes[1].

1. Lettre de Yeats à Kathleen Tynan, en date du 14 mars 1888 à propos
de ce poème : « Ce n'est pas le poème de la clairvoyance ni du savoir mais
celui du désir malheureux – le cri du cœur contre l'inévitable. J'espère
qu'un jour je changerai cela et écrirai un poème de la clairvoyance et du
savoir. »

THE MEDITATION OF THE OLD FISHERMAN

You waves, though you dance by my feet like children at
*   play,*
Though you glow and you glance, though you purr and
*   you dart;*
In the Junes that were warmer than these are, the waves
*   were more gay,*
When I was a boy with never a crack in my heart.

The herring are not in the tides as they were of old;
My sorrow! for many a creak gave the creel in the cart
That carried the take to Sligo town to be sold,
When I was a boy with never a crack in my heart.

And ah, you proud maiden, you are not so fair when his
*   oar*
Is heard on the water, as they were, the proud and
*   apart,*
Who paced in the eve by the nets on the pebbly shore,
When I was a boy with never a crack in my heart.

MÉDITATION DU VIEUX PÊCHEUR [1]

Ô vagues qui dansez à mes pieds comme des enfants
  qui jouent
Vous lancez vos éclairs furtifs et vos flèches, vous
  savez ronronner ;
Mais aux juins plus chauds d'autrefois les vagues étaient
  plus gaies ;
Mon cœur d'enfant alors ne s'était pas brisé.

Le hareng ne vient plus comme autrefois dans les
  courants ;
Quelle tristesse ! comme craquait la bourriche dans la
  charrette
Qui ramenait la pêche au marché de Sligo ;
Mon cœur d'enfant alors ne s'était pas brisé.

Et vous, fière jeune fille, vous n'êtes plus si belle
Quand sur l'eau retentit son aviron, que les fières et
  solitaires
Qui le soir près des filets marchaient sur les galets ;
Mon cœur d'enfant alors ne s'était pas brisé.

Juin 1886
Publié Octobre 1886

1. « Ce poème a été écrit à partir de quelques paroles que me dit un
pêcheur un jour que je pêchais avec lui dans la baie de Sligo. » (Yeats)

55

LA ROSE

*

THE ROSE
(1893)

THE ROSE OF THE WORLD

Who dreamed that beauty passes like a dream
For these red lips, with all their mournful pride,
Mournful that no new wonder may betide,
Troy passed away in one high funeral gleam,
And Usna's children died.

We and the labouring world are passing by:
Amid men's souls, that waver and give place
Like the pale waters in their wintry race,
Under the passing stars, foam of the sky,
Lives on this lonely face.

Bow down, archangels, in your dim abode:
Before you were, or any hearts to beat,
Weary and kind one lingered by His seat;
He made the world to be a grassy road
Before her wandering feet.

ROSE DU MONDE

Qui rêva que beauté passe comme un rêve ?
C'est pour ces lèvres rouges, mélancoliques et fières [1],
Mélancoliques au-delà de tout émerveillement,
Que Troie s'en est allée dans une immense lueur funèbre
Et que sont morts les fils d'Usna [2].

Nous passons et le monde de peines avec nous passe :
Entre les âmes des hommes qui vacillent et s'effacent
Comme les eaux pâles en leur course hivernale,
Sous les étoiles qui passent, écume du ciel,
Demeure ce visage solitaire.

Inclinez-vous, archanges, en votre obscur séjour ;
Vous n'étiez encore pas, aucun cœur ne battait,
Qu'un être doux et las rêvait à Ses côtés ;
C'est pour ses pas errants qu'Il étendit le monde
En une route herbeuse.

1. Hélène de Grèce, aux lèvres rouges comme celles de Maud jeune et de Deirdre d'Irlande, porte avec elle la mort et la beauté, mais elles sont toutes trois des créatures premières de Dieu (idée cabalistique).
   Hélène, comme Cuchulan, était née d'un oiseau, mi-déesse, mi-mortelle.
2. Les fils d'Usna : Naoise et ses frères qui furent décapités par le père de Deirdre, le roi Conchobar.

A FAERY SONG

Sung by the people of Faery over Diarmuid and Grania,
in their bridal sleep under a Cromlech.

We who are old, old and gay,
O so old!
Thousands of years, thousands of years,
If all were told:

Give to these children, new from the world,
Silence and love;
And the long dew-dropping hours of the night,
And the stars above:

Give to these children, new from the world,
Rest far from men.
Is anything better, anything better?
Tell us it then:

Us who are old, old and gay,
O so old!
Thousands of years, thousands of years,
If all were told.

CHANSON DE FÉES

(Chantée par les gens du pays des Fées
à la mémoire de Diarmuid et Grania
dans leur sommeil nuptial sous un dolmen)

Nous qui sommes vieilles, vieilles et gaies,
Ô si vieilles !
Mille et mille années
Si toutes étaient comptées :

Donnons à ces enfants[1], nouveau-nés en ce monde,
Le silence et l'amour ;
Et les longues heures de la nuit aux perles de rosée,
Et les étoiles là-haut.

Donnons à ces enfants, nouveau-nés en ce monde,
Le repos loin des hommes.
Connais-tu mieux, connais-tu mieux au monde ?
Dis-nous le donc alors :

À nous qui sommes vieilles, vieilles et gaies,
Ô si vieilles !
Mille et mille années
Si toutes étaient comptées.

1. Diarmuid et Grania.
« Grania était une belle femme qui pour échapper à l'amour du vieux Finn, s'enfuit avec Diarmuid (ou Dermot), mais ce dernier fut tué, au terme d'une fuite éperdue à travers l'Irlande, et Finn ramena Grania au milieu des enfants qui, à leur vue, furent pris de fou-rire. » (Note de Yeats.)

THE LAKE ISLE OF INNISFREE

I will arise and go now, and go to Innisfree,
And a small cabin build there, of clay and wattles made:
Nine bean-rows will I have there, a hive for the honey-bee,
And live alone in the bee-loud glade.

And I shall have some peace there, for peace comes
    dropping slow,
Dropping from the veils of the morning to where the
    cricket sings;
There midnight's all a glimmer, and noon a purple glow,
And evening full of the linnet's wings.

L'ÎLE AU LAC D'INNISFREE [1]

Allons, je vais partir [2], partir pour Innisfree,
Et y bâtir une petite hutte d'argile et de rameaux tressés :
J'aurai là-bas neuf rangs de fèves, une ruche pour
    l'abeille à miel,
Je vivrai seul dans la clairière embourdonnée d'abeilles.

Là-bas j'aurai un peu de paix, car la paix tombe
    doucement
Des voiles du matin sur le chant du grillon ;
Là-bas minuit n'est que miroitement et midi y rougeoie
    d'une pourpre lueur,
Là-bas le soir est plein des ailes de linottes.

1. Dans son *Autobiographie*, Yeats donne des indications intéressantes
à propos de ce poème :
    P. 43 « Je lui dis (à mon oncle) que j'allais faire le tour du Lough Gill et
passer la nuit dans un bois. Je ne lui avouai pas ce que j'avais en tête, parce
que je nourrissais alors une nouvelle ambition. Mon père m'avait lu un
certain passage de *Walden* et j'imaginais qu'un jour je vivrais dans une
petite maison sur un îlot appelé Innisfree et Innisfree se trouvait juste en
face de Sleuth Wood où j'avais l'intention de passer la nuit. »
    Et plus loin, p. 94, il revient sur ce poème en disant :
    « J'avais gardé le désir, né à Sligo dans mon enfance, de vivre à
l'exemple de Thoreau, à Innisfree sur une petite île du Lough Gill et un
jour que je passais dans Fleet Street avec au cœur le mal du pays, j'entendis
un petit bruit d'eau et aperçus dans une vitrine un jet au sommet duquel
dansait une petite balle, et je me pris à me ressouvenir de l'eau du lac. Ce
souvenir soudain donna naissance à mon poème *Innisfree*.
    « C'est mon premier poème lyrique dont le rythme porte en lui quelque
chose de ma musique personnelle. »
    2. Cf. St Luc XV, 18.

I will arise and go now, for always night and day
I hear lake water lapping with low sounds by the shore;
While I stand on the roadway, or on the pavements grey,
I hear it in the deep heart's core.

Allons je vais partir, car nuit et jour[1] j'entends
L'eau du lac clapoter en murmures légers sur la rive ;
Arrêté sur la route ou sur les pavés gris,
Je l'entends dans le tréfonds du cœur.

1. Cf. St Marc V, 5.

THE SORROW OF LOVE

The brawling of a sparrow in the eaves,
The brilliant moon and all the milky sky,
And all that famous harmony of leaves,
Had blotted out man's image and his cry.

A girl arose that had red mournful lips
And seemed the greatness of the world in tears,
Doomed like Odysseus and the labouring ships
And proud as Priam murdered with his peers;

Arose, and on the instant clamorous eaves,
A climbing moon upon an empty sky,
And all that lamentation of the leaves,
Could but compose man's image and his cry.

TRISTESSE DE L'AMOUR

Le piaillement d'un moineau au bord du toit,
La pleine lune éclatante et tout le ciel lacté
Et toute cette grande harmonie des feuilles,
Avaient voilé de l'homme son image et ses pleurs.

Une fille [1] s'est levée, aux lèvres rouges et mélancoliques [2]
Incarnant la grandeur des larmes de ce monde,
Marquée par le destin comme Ulysse et ses navires en
    peine,
Aussi fière que Priam mourant avec ses pairs ;

Elle s'est levée, et sur-le-champ les cris dans les
    gouttières,
La lune qui montait sur le vide du ciel,
Et toute cette lamentation des feuilles
Ne purent montrer de l'homme que son image et ses
    pleurs.

Octobre 1891

---

1. Hélène de Troie et Maud Gonne.
2. Cf. *Rose du Monde*.

THE WHITE BIRDS

I would that we were, my beloved, white birds on the
    foam of the sea!
We tire of the flame of the meteor, before it can fade
    and flee;
And the flame of the blue star of twilight, hung low
    on the rim of the sky,
Has awaked in our hearts, my beloved, a sadness
    that may not die.

A weariness comes from those dreamers, dew-dabbled,
    the lily and rose;
Ah, dream not of them, my beloved, the fame
    of the meteor that goes,
Or the fame of the blue star that lingers hung low
    in the fall of the dew:
For I would we were changed to white birds on the
    wandering foam: I and you!

LES BLANCS OISEAUX [1]

Ah ! Si nous étions, mon amour, de blancs oiseaux sur
    l'écume de la mer !
Nous sommes las de la flamme du météore, qui va pâlir
    et disparaître ;
Et la flamme de l'étoile bleue du crépuscule si basse à la
    frange du ciel
A fait naître en nos cœurs, mon amour, une tristesse qui
    peut durer toujours.

Une langueur nous vient de ces rêveurs, perlés de rosée,
    le lys et la rose ;
Ah ! Chasse-les de tes rêves, mon amour ; la flamme du
    météore qui passe
Ou la flamme de l'étoile bleue qui s'attarde à l'horizon
    quand tombe la rosée ;
Car je voudrais que nous soyons changés en oiseaux
    blancs sur l'écume vagabonde, toi et moi !

1. Note de Yeats : « Les oiseaux du pays des fées sont, paraît-il, blancs
comme la neige. Les îles des Danéens sont les îles des fées (Tier-nan-oge).
    Ce poème fut composé après une promenade avec Maud Gonne sur les
falaises de Howth au cours de laquelle elle dit au poète que si elle devait
être un oiseau, elle serait une mouette.
    Yeats lui avait demandé de l'épouser et elle avait refusé.

I am haunted by numberless islands, and many
   a Danaan shore,
Where Time would surely forget us, and Sorrow come
   near us no more;
Soon far from the rose and the lily and fret of the flames
   would we be,
Were we only white birds, my beloved, buoyed out on
   the foam of the sea!

Mon esprit est hanté d'îles innombrables et de maints
    rivages Danéens[1]
Où le temps sûrement nous oublierait, où le chagrin ne
    nous toucherait plus ;
Nous serions vite loin de la rose et du lys et de la
    turbulence des flammes,
Si nous n'étions que de blancs oiseaux, mon amour,
    portés sur l'écume de la mer !

Mai 1892

1. Danéen : cf. note dans *Les Errances d'Ossian* (p. 21).

THE MAN WHO DREAMED OF FAERYLAND

He stood among a crowd at Dromahair;
His heart hung all upon a silken dress,
And he had known at last some tenderness,
Before earth took him to her stony care;
But when a man poured fish into a pile,
It seemed they raised their little silver heads,
And sang what gold morning or evening sheds
Upon a woven world-forgotten isle
Where people love beside the ravelled seas;
That Time can never mar a lover's vows
Under that woven changeless roof of boughs:
The singing shook him out of his new ease.

He wandered by the sands of Lissadell;
His mind ran all on money cares and fears,
And he had known at last some prudent years
Before they heaped his grave under the hill;

CELUI QUI RÊVAIT DU PAYS DES FÉES

Il était parmi la foule à Dromahair[1]
Tout son cœur éperdu d'une robe de soie,
Il aurait pu enfin connaître la tendresse,
Avant que la terre le prenne dans ses bras de pierre ;
Mais alors qu'un pêcheur déversait ses poissons[2]
Il crut les voir lever leurs petites têtes d'argent[3]
Et chanter l'or qui tombe du matin ou du soir
Sur une île feuillue et oubliée du monde
Où l'on s'aime auprès de l'écheveau des mers ;
Et que le temps jamais n'altère les serments
Sous la voûte de branches de ce toit immuable :
Ce chant vint l'arracher à sa joie nouvelle.

Il allait au hasard sur les sables de Lissadell[4],
Son esprit ne roulait que craintes et soucis d'argent.
Il aurait pu enfin vivre dans la sagesse
Avant qu'on élevât son tertre sous la colline[5] ;

---

1. Village du Comté de Leitrim.
2. Une des formes dans lesquelles les Sidhe (les fées) transforment les humains par leurs charmes magiques.
3. Cf. *La chanson d'Aengus le Vagabond* (p. 89).
4. Baronie du Comté de Sligo demeure des Gore-Booth (cf. *À la mémoire d'Eva Gore-Booth et de Con Markiewicse*) (p. 257).
5. La colline de Lugnagall (Comté de Sligo).

But while he passed before a plashy place,
A lug-worm with its grey and muddy mouth
Sang that somewhere to north or west or south
There dwelt a gay, exulting, gentle race
Under the golden or the silver skies:
That if a dancer stayed his hungry foot
It seemed the sun and moon were in the fruit:
And at that singing he was no more wise.

He mused beside the well of Scanavin,
He mused upon his mockers: without fail
His sudden vengeance were a country tale,
When earthy night had drunk his body in;
But one small knot-grass growing by the pool
Sang where—unnecessary cruel voice—
Old silence bids its chosen race rejoice,
Whatever ravelled waters rise and fall
Or stormy silver fret the gold of day.
And midnight there enfold them like a fleece
And lover there by lover be at peace.
The tale drove his fine angry mood away.

He slept under the hill of Lugnagall;
And might have known at last unhaunted sleep
Under that cold and vapour-turbaned steep,
Now that the earth had taken man and all:
Did not the worms that spired about his bones
Proclaim with that unwearied, reedy cry
That God has laid His fingers on the sky,
That from those fingers glittering summer runs
Upon the dancer by the dreamless wave.

Mais alors qu'il passait près d'un marais bourbeux,
Un ver de vase chanta de sa bouche fangeuse
Que quelque part au Nord, à l'Ouest ou au Sud
Vivait un peuple aimable au cœur plein d'allégresse
Sous des cieux d'or[1] ou sous des cieux d'argent[1],
Que si un danseur arrêtait sa danse folle
Le soleil et la lune semblaient se faire fruits :
Après ce chant il ne connut plus la sagesse.

Il songeait près de la source de Scanavin[2],
Il songeait à ceux qui riaient de lui : pour sûr
On parlerait plus tard de sa brusque vengeance,
Quand la nuit de la terre aurait bu tout son corps ;
Mais un petit pied d'herbe poussant près de la source
Chanta (pourquoi donc cette voix si cruelle ?)
Le pays où l'antique silence fait danser ses élus,
Même dans la tourmente de l'écheveau des mers
Ou l'orage d'argent qui ronge l'or du jour ;
Là-bas minuit les enveloppe de sa toison
Et les amants près des amants y sont en paix.
À ce récit se dissipa sa belle colère.

Il dormait sous la colline de Lugnagall ;
Il aurait pu enfin avoir la paix du sommeil
Sous cette froide cime au turban de nuées,
Maintenant que la terre l'avait pris tout entier,
Si les vers qui tournaient en vrille dans ses os
N'avaient crié de leur voix inlassable et flûtée
Que les doigts de Dieu sont posés sur le ciel,
Que de ces doigts ruisselle la splendeur de l'été
Sur le danseur auprès de la vague sans rêve.

1. Or : ce qui est élaboré, artificiel, l'œuvre de l'orfèvre, le monde solaire.
Argent : ce qui est simple, populaire, traditionnel, le monde lunaire.
2. Puits du Comté de Sligo.

Why should those lovers that no lovers miss
Dream, until God burn Nature with a kiss?
The man has found no comfort in the grave.

Pourquoi ces amants que nul amant ne regrette
Rêveraient-ils jusqu'au baiser de Dieu qui brûlera la
    terre ?
Cet homme n'a trouvé nul repos dans la tombe.

                              Février 1891

TO IRELAND IN THE COMING TIMES

Know, that I would accounted be
True brother of a company
That sang, to sweeten Ireland's wrong,
Ballad and story, rann and song;
Nor be I any less of them,
Because the red-rose-bordered hem
Of her, whose history began
Before God made the angelic clan,
Trails all about the written page.
When Time began to rant and rage
The measure of her flying feet
Made Ireland's heart begin to beat;
And Time bade all his candles fare
To light a measure here and there;
And may the thoughts of Ireland brood
Upon a measured quietude.

Nor may I less be counted one
With Davis, Mangan, Ferguson,
Because, to him who ponders well,

À L'IRLANDE FUTURE

J'aimerais qu'on me tienne, sachez-le bien,
Pour digne frère de tous ceux
Qui pour adoucir les malheurs de l'Irlande
Ont chanté contes et ballades, lais et chansons ;
Et qu'en rien d'eux ne suis indigne
Si mes vers traînent après eux
La robe ourlée de roses rouges
De celle qui naquit
Bien avant les anges de Dieu[1].
Dans les folles clameurs des premiers jours du Temps
Le rythme de ses pas ailés
Fit battre le cœur de l'Irlande
Et le Temps fit flamber tous ses cierges
Pour éclairer le rythme de sa danse ;
Ah ! puisse l'Irlande se pénétrer
Du tempo souverain de ce rythme.

Et ne me croyez pas non plus
Inférieur à Davis, Mangan ou Ferguson[2],
Mais songez que mes vers

1. Cf. *Rose du Monde* (p. 59).
2. Th. Os. Davis (1814-45), chef du parti de la Jeune Irlande. Poète et journaliste.
   J.-Cl. Mangan (1803-49), poète romantique irlandais.
   Sir Sam. Ferguson (1810-86), juriste, antiquaire et poète.

My rhymes more than their rhyming tell
Of things discovered in the deep,
Where only body's laid asleep.
For the elemental creatures go
About my table to and fro,
That hurry from unmeasured mind
To rant and rage in food and wind;
Yet he who treads in measured ways
May surely barter gaze for gaze.
Man ever journeys on with them
After the red-rose-bordered hem.
Ah, faeries, dancing under the moon,
A Druid land, a Druid tune!

While still I may, I write for you
The love I lived, the dream I knew.
From our birthday, until we die,
Is but the winking of an eye;
And we, our singing and our love,
What measurer Time has lit above,
And all benighted things that go
About my table to and fro,
Are passing on to where may be,
In truth's consuming ecstasy,
No place for love and dream at all;
For God goes by with white footfall.
I cast my heart into my rhymes,
That you, in the dim coming times,
May know how my heart went with them
After the red-rose-bordered hem.

Parlent mieux que leurs vers
Des choses de la nuit
Où seul le corps est endormi.
Car sur ma table dansent
Les êtres élémentaires
Qui, jaillis de l'esprit sans mesure,
Délirent follement dans l'averse et le vent ;
Celui pourtant qui marche avec mesure
Doit pouvoir avec eux échanger ses regards.
Avec eux à jamais l'homme poursuit
La robe ourlée de roses rouges.
O, fées qui dansez sous la lune,
Terre des Druides, Chant des Druides !

Tant que je peux encore, pour vous j'écris
Le rêve que j'ai fait et l'amour de ma vie.
Tous nos jours du premier au jour de notre mort
Ne durent qu'un clin d'œil,
Et nous passons avec nos chants et nos amours,
Éclairés de là-haut par le Temps mesureur
Et tous les êtres de la nuit
Qui sur ma table courent
Vers un monde où peut-être
Dans l'extase brûlante de la vérité
Il n'y a plus de place pour le rêve et l'amour
Car les pas de Dieu sont faits d'un silence blanc.
Je jette mon cœur dans mes vers
Pour que vous, au fond du futur,
Sachiez comment s'en est allé
Mon cœur pour poursuivre avec eux
La robe ourlée de roses rouges.

LE VENT DANS LES ROSEAUX

*

THE WIND AMONG THE REEDS

(1899)

THE UNAPPEASABLE HOST

The Danaan children laugh, in cradles of wrought
  gold,
And clap their hands together, and half close their eyes,
For they will ride the North when the ger-eagle fies,
With heavy whitening wings, and a heart fallen cold:
I kiss my wailing child and press it to my breast,
And hear the narrow graves calling my child and me.
Desolate winds that cry over the wandering sea;
Desolate winds that hover in the flaming West;
Desolate winds that beat the doors of Heaven, and beat
The doors of Hell and blow there many a whimpering
  ghost;
O heart the winds have shaken, the unappeasable host
Is comelier than candles at Mother Mary's feet.

L'IMPLACABLE COHORTE

Les enfants danéens rient dans leurs berceaux d'or
    ouvragé
Et tapent dans leurs mains et ferment à demi les yeux,
Car ils chevaucheront le Nord[1] quand le gerfaut
    s'envolera,
Les ailes lourdes et blanches de vieillesse, et un grand
    froid au cœur :
J'embrasse mon enfant qui pleure et le serre sur ma
    poitrine,
J'entends la bouche étroite des tombes qui tous deux
    nous appellent.
Vents lugubres qui criez sur la mer vagabonde ;
Vents lugubres qui planez dans les flammes de l'Ouest[2],
Vents lugubres qui battez les portes du Ciel et battez
Les portes de l'Enfer et y chassez maints fantômes
    gémissants ;
Ô cœur secoué par ces vents ; l'implacable cohorte
Est plus douce que les cierges aux pieds de Marie Notre
    Mère.

Novembre 1896

1. Vent du Nord (symbole de désirs vagues et d'espoir).
2. Associées au déclin et au rêve.

85

INTO THE TWILIGHT

Out-worn heart, in a time out-worn,
Come clear of the nets of wrong and right;
Laugh, heart, again in the grey twilight,
Sigh, heart, again in the dew of the morn.

Your mother Eire is always young,
Dew ever shining and twilight grey;
Though hope fall from you and love decay,
Burning in fires of a slanderous tongue.

Come, heart, where hill is heaped upon hill:
For there the mystical brotherhood
Of sun and moon and hollow and wood
And river and stream work out their will;

And God stands winding His lonely horn,
And time and the world are ever in flight;
And love is less kind than the grey twilight,
And hope is less dear than the dew of the morn.

AU FOND DU CRÉPUSCULE

Ancien titre « Le Crépuscule Celte »

Cœur épuisé, en un monde épuisé,
Défais-toi des filets du mal et du bien ;
Ris de nouveau, mon cœur, dans le gris crépuscule,
Soupire encore, mon cœur, dans la rosée du matin.

Eire ta mère est toujours jeune,
La rosée brille toujours, le crépuscule est toujours gris ;
Bien que l'espoir te quitte et que s'étiole l'amour
Consumé dans les flammes de la calomnie.

Viens, mon cœur, par les lieux où s'entassent les collines :
Là-haut s'exprime librement la fraternité mystique
Du soleil et de la lune, des vallons et des bois,
Du fleuve et du ruisseau.

Debout et solitaire, Dieu y sonne du cor
Et le temps et le monde s'enfuient encore ;
Et l'amour est moins doux que le gris crépuscule
Et l'espoir moins précieux que la rosée du matin.

1898-1899
Publié Juillet 1899

THE SONG OF WANDERING AENGUS

I went out to the hazel wood,
Because a fire was in my head,
And cut and peeled a hazel wand,
And hooked a berry to a thread;
And when white moths were on the wing,
And moth-like stars were flickering out,
I dropped the berry in a stream
And caught a little silver trout.

When I had laid it on the floor
I went to blow the fire aflame,
But something rustled on the floor,
And some one called me by my name:
It had become a glimmering girl
With apple blossom in her hair

LA CHANSON D'AENGUS LE VAGABOND[1]

J'allai au bois de noisetiers[2]
Parce qu'en ma tête brûlait un feu,
J'en coupai et pelai une branche,
Au bout d'un fil j'accrochai une baie
À l'heure où l'on voit voler les phalènes blancs
Et que vacillent les étoiles, ces autres phalènes ;
Dans un ruisseau je jetai ma baie
Et pris une petite truite argentée.

Quand je l'eus déposée sur le sol
J'allai souffler le feu,
Mais j'entendis un frisson sur le sol
Et quelqu'un m'appeler par mon nom :
C'était maintenant une femme radieuse[3]
Dans ses cheveux des fleurs de pommier[4],

---

1. Poème inspiré par une chanson folklorique grecque mais en pensant à l'Irlande.
   Aengus : « Dieu de la Jeunesse, de la Beauté, de la Poésie ». Père de Niam, époux d'Edain (cf. *Les Errances d'Ossian*, p. 19).
2. Noisetier comme arbre de vie et de connaissance (Yeats).
3. Légende selon laquelle les enfants de la déesse Danu peuvent prendre toutes les formes et dans l'eau celle du poisson.
   Une femme de Burren dans le Comté de Galway, raconte : « Ils sont plus nombreux dans la mer que sur terre et parfois ils essaient de sauter sur le plat-bord du bateau, sous la forme de poissons ».
4. Lorsque Yeats rencontra Maud pour la première fois, elle était assise près d'un bouquet de fleurs de pommier.

Who called me by my name and ran
And faded through the brightening air.

Though I am old with wandering
Through hollow lands and hilly lands,
I will find out where she has gone,
And kiss her lips and take her hands;
And walk among long dappled grass,
And pluck till time and times are done
The silver apples of the moon,
The golden apples of the sun.

Qui m'appelait par mon nom et s'enfuit
Et s'évanouit dans la lumière qui montait.

Bien que je sois vieilli d'avoir tant erré
Par les creux et les collines de la terre,
J'irai découvrir où elle s'en est allée
Baiser ses lèvres et lui prendre les mains
Parmi les hautes herbes tachetées de couleurs
Et cueillir jusqu'à la fin des temps
Les pommes d'argent de la lune
Et les pommes d'or du soleil.

Composé 1893
Publié 1897

A POET TO HIS BELOVED

I bring you with reverent hands
The books of my numberless dreams,
White woman that passion has worn
As the tide wears the dove-grey sands,
And with heart more old than the horn
That is brimmed from the pale fire of time:
White woman with numberless dreams,
I bring you my passionate rhyme.

UN POÈTE À SA BIEN-AIMÉE

Je t'apporte de mes mains déférentes
Les pages de mes rêves sans nombre,
Dame blanche usée par la passion
Comme les sables tourterelle par la vague
Et au cœur plus vieilli que la corne
Qui déborde du feu pâle du temps :
Dame blanche aux rêves sans nombre
Je t'apporte mes vers et leur passion.

Composé 1895
Publié 1896

THE CAP AND BELLS

The jester walked in the garden:
The garden had fallen still;
He bade his soul rise upward
And stand on her window-sill.
It rose in a straight blue garment,
When owls began to call:
It had grown wise-tongued by thinking
Of a quiet and light footfall;

But the young queen would not listen;
She rose in her pale night-gown;
She drew in the heavy casement
And pushed the latches down.

He bade his heart go to her,
When the owls called out no more;
In a red and quivering garment
It sang to her through the door.

LE BONNET À GRELOTS [1]

Le bouffon marchait au jardin :
Le jardin s'était tu ;
Il dit à son âme de se lever
D'aller là-haut à sa fenêtre.
Elle se leva gainée d'une robe bleue
Aux premiers appels des hiboux :
Sa voix s'était faite savante à penser
Au rythme serein d'un pas léger ;

Mais la jeune reine ne voulut pas l'entendre ;
Elle se leva dans sa robe de nuit pâle,
Referma la lourde croisée
Et poussa les verrous.

Il dit à son cœur d'aller vers elle,
Quand les hiboux se furent tus ;
Vêtu d'un habit rouge et frémissant
Il chanta pour elle derrière sa porte.

1. Note de Yeats :
« J'ai rêvé cette histoire exactement comme je l'ai décrite. »
   « Ce poème a toujours eu pour moi une grande valeur, mais sa
signification a varié (comme celle de la plupart des poèmes symboliques).
Blake aurait dit : "Leurs auteurs habitent l'Éternité" et je suis persuadé
qu'on ne peut les interroger que dans les rêves. »
   Pour Yeats ce poème indique la seule voie qu'ait un homme pour
conquérir une femme.

It had grown sweet-tongued by dreaming
Of a flutter of flower-like hair;
But she took up her fan from the table
And waved it off on the air.

'I have cap and bells,' he pondered,
'I will send them to her and die';
And when the morning whitened
He left them where she went by.

She laid them upon her bosom,
Under a cloud of her hair,
And her red lips sang them a love-song
Till stars grew out of the air.

She opened her door and her window,
And the heart and the soul came through,
To her right hand came the red one,
To her left hand came the blue.

They set up a noise like crickets,
A chattering wise and sweet,
And her hair was a folded flower
And the quiet of love in her feet.

Sa voix s'était faite douce à rêver
À des cheveux flottants légers comme des fleurs ;
Mais elle prit sur la table son éventail
Et le chassa dans les airs.

« J'ai un bonnet à grelots », songea-t-il,
« Je le lui enverrai avant de mourir » ;
Et à l'heure où blanchit le matin
Il le laissa sur son passage.

Elle le mit sur son sein
Sous le voile de ses cheveux,
Et de ses lèvres rouges lui chanta une chanson d'amour
Jusqu'à l'heure où passent les étoiles.

Elle ouvrit sa porte et sa fenêtre,
Par où entrèrent le cœur et l'âme ;
À sa droite vint le rouge
À sa gauche vint la bleue.

Ils se mirent à bruire comme des grillons,
Babil savant et doux ;
Ses cheveux comme une fleur s'étaient refermés
Et dans ses pas la paix de l'amour.

Composé 1893
Publié 1894

97

HE WISHES FOR THE CLOTHS OF HEAVEN

Had I the heavens' embroidered cloths,
Enwrought with golden and silver light,
The blue and the dim and the dark cloths
Of night and light and the half-light,
I would spread the cloths under your feet:
But I, being poor, have only my dreams;
I have spread my dreams under your feet;
Tread softly because you tread on my dreams.

IL VOUDRAIT AVOIR LES VOILES DU CIEL

Si j'avais les voiles brodés du ciel,
Ouvrés de lumière d'or et d'argent,
Les voiles bleus et pâles et sombres
De la nuit, de la lumière, de la pénombre,
J'étendrais ces voiles sous tes pas :
Mais moi qui suis pauvre n'ai que mes rêves ;
J'ai étendu mes rêves sous tes pas ;
Marche doucement car tu marches sur mes rêves [1].

1. Yeats disait de ce poème qu'il était la meilleure façon pour un homme de perdre une femme.

DANS LES SEPT BOIS

*

IN THE SEVEN WOODS

(1904)

THE FOLLY OF BEING COMFORTED

One that is ever kind said yesterday:
'Your well-belovèd's hair has threads of grey,
And little shadows come about her eyes;
Time can but make it easier to be wise
Though now it seems impossible, and so
All that you need is patience.'

Heart cries, 'No,
I have not a crumb of comfort, not a grain.
Time can but make her beauty over again:
Because of that great nobleness of hers
The fire that stirs about her, when she stirs,
Burns but more clearly. O she had not these ways
When all the wild summer was in her gaze.'

O heart! O heart! if she'd but turn her head,
You'd know the folly of being comforted.

FOLIE DU RÉCONFORT

Quelqu'un de très gentil[1] m'a dit hier :
« Les cheveux de votre tendre amie ont des fils d'argent
Et des ombres légères se creusent autour de ses yeux ;
Le temps ne peut qu'aider à gagner en sagesse
Si toutefois cela est encore possible ; alors
Ayez seulement un peu de patience. »

                            « Non », s'écrie le cœur,
« Je n'ai pas un brin, pas une miette de réconfort.
Le temps ne peut que refaire sa beauté :
Pour cette grande noblesse qui est la sienne[2]
Le feu qui tremble en elle, quand elle tremble,
N'en brûle que plus clair. Oh, elle n'était point la même
Quand dans ses yeux brûlait la passion de l'été. »

Ô mon cœur ! mon cœur ! Si elle venait à tourner la tête,
Tu connaîtrais alors la folie du réconfort.

1902

1. Lady Gregory, amie fidèle de Yeats, collaboratrice et mécène.
2. Yeats disait de Maud : « Sa beauté avait une extrême distinction » et citant Virgile, il ajoutait : « Elle marche comme une déesse » (*Autobiographie*, p. 75).

ADAM'S CURSE

We sat together at one summer's end,
That beautiful mild woman, your close friend,
And you and I, and talked of poetry.
I said, 'A line will take us hours maybe;
Yet if it does not seem a moment's thought,
Our stitching and unstitching has been naught.

Better go down upon your marrow-bones
And scrub a kitchen pavement, or break stones
Like an old pauper, in all kinds of weather;
For to articulate sweet sounds together
Is to work harder than all these, and yet
Be thought an idler by the noisy set
Of bankers, schoolmasters, and clergymen
The martyrs call the world.'

                      And thereupon
That beautiful mild woman for whose sake
There's many a one shall find out all heartache

LA MALÉDICTION D'ADAM

Par une fin d'été nous nous étions assis.
Cette belle et douce femme[1], ta tendre amie,
Toi et moi, et parlions poésie.
« Un seul vers peut nous prendre des heures »[2], disais-je
« Pourtant si en lui on ne voit pas la pensée d'un instant
Tous nos travaux d'aiguille sont réduits à néant.

Mieux vaut se mettre à deux genoux
Et récurer les dalles de la cuisine, ou casser des cailloux
Comme un pauvre gueux, dans la pluie et le vent
Car agencer ensemble des sons harmonieux
Est un plus dur labeur que tous les autres, même si
Cette bande de braillards le tient pour un amusement,
Les banquiers, professeurs et curés
Que les martyrs appellent le monde. »

                                        Sur ce,
Cette belle et douce femme pour qui certainement
Plus d'un éprouvera tous les tourments du cœur

1. Cathleen, sœur de Maud Gonne.
2. Cf. *Autobiographie*, p. 22.
« Toute composition métrique est pour moi un dur labeur. Je ne réussis
rien le premier jour, pas une seule rime n'est en place et quand enfin les
rimes commencent à venir, la première rédaction d'une strophe de six vers
me prend la journée entière. »

On finding that her voice is sweet and low
Replied,'To be born woman is to know–
Although they do not talk of it at school–
That we must labour to be beautiful.'

I said,'It's certain there is no fine thing
Since Adam's fall but needs much labouring.
There have been lovers who thought love should be
So much compounded of high courtesy
That they would sigh and quote with learned looks
Precedents out of beautiful old books;
Yet now it seems an idle trade enough.'

We sat grown quiet at the name of love;
We saw the last embers of daylight die,
And in the trembling blue-green of the sky
A moon, worn as if it had been a shell
Washed by time's waters as they rose and fell
About the stars and broke in days and years.

I had a thought for no one's but your ears:
That you were beautiful, and that I strove
To love you in the old high way of love;
That it had all seemed happy, and yet we'd grown
As weary-hearted as that hollow moon.

En entendant la douceur de sa voix chaude,
Me répondit : « Naître femme c'est savoir,
Même si on ne l'enseigne pas à l'école,
Qu'il faut souffrir pour être belle ».

Il est certain, fis-je, que depuis la chute d'Adam
Rien de beau n'existe sans beaucoup de souffrance.
Il s'est trouvé des amants pour croire qu'il faut
Comme ingrédients à l'amour tant d'exquise civilité
Qu'avec force soupirs et doctes apparences
Ils se sont prévalus des beaux livres anciens ;
Mais de nos jours il semble que tout cela soit vain.

Parler d'amour nous avait rendus songeurs :
Les derniers tisons du jour se mouraient sous nos yeux,
Et dans le tremblement vert-bleu du ciel
Brillait une lune aussi usée qu'une conque
Roulée par les eaux du temps quand vint battre leur houle
Parmi les étoiles pour se briser dans la marée des jours.

Je ne pensais à rien, qu'à te parler :
Te dire que tu étais belle et que j'essayais
De t'aimer comme autrefois d'un noble et bel amour
Que tout cela m'avait paru le bonheur et que pourtant
Nos cœurs avaient vieilli comme cette lune vide.

RED HANRAHAN'S SONG ABOUT IRELAND

The old brown thorn-trees break in two high over
    Cummen Strand,
Under a bitter black wind that blows from the left hand;
Our courage breaks like an old tree in a black wind and
    dies,
But we have hidden in our hearts the fame out of the
    eyes
Of Cathleen, the daughter of Houlihan.

The wind has bundled up the clouds high over
    Knochnarea,
And thrown the thunder on the stones for all that Maeve
    can say.

LA CHANSON D'HANRAHAN[1] LE ROUX SUR L'IRLANDE

Les vieilles épines noires craquent là-haut sur Cummen
    Strand[2],
Dans l'âpre et sombre vent qui souffle à senestre ;
Notre courage craque comme un vieil arbre dans le vent
    noir et meurt,
Mais nous gardons cachée dans nos cœurs la flamme du
    regard
De Cathleen, la fille de Houlihan[3].

Le vent a fait des paquets de nuages là-haut sur
    Knochnarea[4]
Et jeté la foudre sur les pierres, quoique Maeve[5] puisse
    en dire.

1. Hanrahan : Personnage mythique inventé par Yeats, comme un autre
lui-même ; barde irlandais à la croisée des routes païenne et chrétienne qui
sillonnent l'Irlande.
    (Cf. *La Tour* : « C'est moi qui ai inventé Hanrahan », poème où il le
traite de « vieux paillard ».)
2. Cummen Strand : Sur la baie de Sligo à Strandhill.
3. Cathleen : Personnage féminin, personnification de l'Irlande, titre
d'une pièce de Yeats, « *Cathleen ni Houlihan* » où le rôle de Cathleen était
joué par Maud Gonne, à laquelle le poète l'assimila.
4. Knocknarea : Montagne proche de Sligo au sommet de laquelle la
légende a placé la tombe de Maeve.
5. La reine mythique du Connaught, Maeve se dit aussi Mebh ou
Macha ou Mab.

Angers that are like noisy clouds have set our hearts
    abeat;
But we have all bent low and low and kissed the quiet
    feet
Of Cathleen, the daughter of Houlihan.

The yellow pool has overflowed high up on Clooth-
    na-Bare,
For the wet winds are blowing out of the clinging air;
Like heavy flooded waters our bodies and our blood;
But purer than a tall candle before the Holy Rood
Is Cathleen, the daughter of Houlihan.

Comme nuages tonnants des colères ont fait battre nos
    cœurs ;
Mais prosternés bien bas nous avons baisé les pieds
    sereins
De Cathleen, la fille de Houlihan.

Les eaux jaunes et l'étang ont débordé là-haut sur
    Clooth-na-Bare [1],
Les vents humides soufflent dans l'air collant de pluie ;
Comme des eaux troubles qui débordent sont nos corps
    et notre sang ;
Mais plus pure qu'un grand cierge devant la Sainte
    Croix
Brille Cathleen, la fille de Houlihan [2].

1903

---

1. Clooth-na-Bare : Cf. Note de Yeats au poème *The Hosting of the Sidhe*.

La Reine Maeve, lasse d'être une fée « parcourut le monde entier à la recherche d'un lac assez profond pour s'y noyer », jusqu'à ce qu'« elle découvrit l'eau la plus profonde du monde dans le petit Lough Ia, tout en haut de la montagne aux oiseaux, dans le Comté de Sligo ».

Yeats ajoute que « Clooth-na-Bare est, de toute évidence, une altération de Cailleac Beare, c'est-à-dire la vieille femme de Beare », nom qui sous diverses formes, apparaît dans les légendes de maints lieux irlandais.

2. Cf. le poème : *L'Implacable cohorte* (p. 85).

LE HEAUME VERT

*

THE GREEN HELMET

(1910)

THE MASK

*'Put off that mask of burning gold
With emerald eyes.'
'O no, my dear, you make so bold
To find if hearts be wild and wise,
And yet not cold.'*

*'I would but find what's there to find,
Love or deceit.'
'It was the mask engaged your mind,
And after set your heart to beat,
Not what's behind.'*

LE MASQUE [1]

« Pose ce masque d'or brûlant
Aux yeux d'émeraude. »
« Ô non, ma chère, tu montres tant d'audace
À savoir si un cœur fou peut être sage
Sans perdre son ardeur. »

« Je veux seulement savoir ce qu'il y a à savoir,
Amour ou trahison. »
« C'est ce masque qui a captivé ton esprit
Et puis fait battre ton cœur,
Non ce qu'il cache. »

1. Cf. le poème : *Ego Dominus Tuus* (p. 165). Le concept et l'image du Masque sont des éléments fondamentaux de la pensée et de la poétique yeatsiennes, développés à partir d'une idée d'O. Wilde.

Les références à cette idée sont nombreuses dans son *Autobiographie*, p. 93, 101, 105, 116, 150, 165, 281, *306*.

Cette dernière référence me semble la plus intéressante :

« Je pense que tout bonheur dépend de l'énergie que l'on met à prendre le masque d'un autre moi ; que toute vie capable de joie ou de création est une renaissance en un être différent de soi, un être qui n'a pas de mémoire, qui est créé en un instant et se renouvelle à jamais. Nous nous revêtons d'un masque peint grotesque ou solennel pour nous abriter des foudres du Jugement, pour inventer des Saturnales de l'imagination où l'on oublie la réalité, dans un jeu qui ressemble à celui d'un enfant, et où l'on n'éprouve plus la douleur infinie qui vient de la conscience de soi. »

'But lest you are my enemy,
I must enquire.'
'O no, my dear, let all that be;
What matter, so there is but fire
In you, in me?'

« Mais tu pourrais être mon ennemi,
Il faut que je le sache. »
« Oh non, ma chère, laisse donc tout cela ;
Qu'importe, si la flamme brûle
En toi, en moi ? »

RESPONSABILITÉS

*

RESPONIBILITIES

(1914)

INTRODUCTORY RHYMES

Pardon, old fathers, if you still remain
Somewhere in ear-shot for the story's end,
Old Dublin merchant 'free of the ten and four'
Or trading out of Galway into Spain;
Old country scholar, Robert Emmet's friend,
A hundred-year-old memory to the poor;
Merchant and scholar who have left me blood
That has not passed through any huckster's loin,
Soldiers that gave, whatever die was cast:

RESPONSABILITÉS

Vers d'Introduction[1]

Pardon, pères anciens, si vous pouvez encore
Entendre quelque part la fin de cette histoire ;
Vieux marchand de Dublin[2], franc de quart et de dix[3]
Qui chargeais tes vaisseaux de Galway en Espagne,
Vieux sage de la terre[4], ami de Robert Emmet[5],
Légendaire aujourd'hui au cœur des pauvres gens,
Vous sage et vous marchand, m'avez légué un sang
Qui n'a jamais coulé dans le cœur d'un manant ;
Soldats qui avez tout donné, dans la victoire ou la défaite,

---

1. Poème provoqué par des attaques de Georges Moore contre Yeats et Lady Gregory dans *English Review*, où il se moquait de sa pose aristocratique du haut de laquelle il critiquait l'attitude passive et moutonnière des classes moyennes.

Yeats s'était toujours cherché un arbre généalogique et des ancêtres célèbres comme beaucoup d'autres poètes romantiques (Jeffares) q.v.

2. Jervis Yeats, ancêtre du poète (le premier Yeats à habiter l'Irlande) ou Benjamin Yeats, arrière-arrière-grand-père.

3. « Franc de quart et de dix » : dans ses notes aux *Collected Poems* (p. 529), Yeats explique avoir écrit cette expression par erreur ; la franchise commerciale dont bénéficiaient certains marchands irlandais, était, pense-t-il, « de six et de huit ».

L'expression « franc de quart et de dix » fut prise par Yeats à François Villon (cf. *Épistes à ses Amis dans les Poésies Diverses*, v. 22).

(Œuvres de F. Villon, 3e Édition par L. Foulet, 1923, p. 92).

4. Pasteur John Yeats (1774), érudit et ami de R. Emmet, arrière-grand-père du poète.

5. À la tête de la révolte de 1803. Exécuté.

A Butler or an Armstrong that withstood
Beside the brackish waters of the Boyne
James and his Irish when the Dutchman crossed;
Old merchant skipper that leaped overboard
After a ragged hat in Biscay Bay;
You most of all, silent and fierce old man,
Because the daily spectacle that stirred
My fancy, and set my boyish lips to say,
'Only the wasteful virtues earn the sun',
Pardon that for a barren passion's sake,
Although I have come close on forty-nine,
I have no child, I have nothing but a book,
Nothing but that to prove your blood and mine.

Butler[1], Armstrong, qui près de la saumâtre Boyne[2]
Êtes morts Irlandais pour sauver le roi Jacques
  Quand arriva chez nous Guillaume le Hollandais ;
  Vieux capitaine[3], toi qui sautas par-dessus bord
  Pêcher ton vieux chapeau dans la baie de Biscay,
  Toi, surtout, vieil homme silencieux et farouche[4],
  Car chaque jour, en te voyant, mon âme s'est éveillée
Et mes lèvres d'enfant de toi ont su redire :
« Seule une folle ivresse te donnera le ciel »
Pardonnez-moi si, pour une passion stérile[5],
Malgré l'approche de mes quarante-neuf ans,
Je n'ai point d'enfant, rien, rien d'autre que ce livre
Rien que cela pour dire que votre sang est mien.

Janvier 1914 (ou décembre 1913)

---

1. Butler : Nom entré dans la famille de Yeats par mariage de Benjamin avec Marie Butler (1773) de la noble famille Ormonde (ennoblissement des Yeats).
2. Boyne : Bataille de la Boyne, livrée le 15 juin 1690, près de Drogheda sur la rivière Boyne par Jacques II Stuart, Roi d'Angleterre, soutenu par Louis XIV, à Guillaume d'Orange, soutenu par les protestants.
La défaite de Jacques II entraîna la chute des Stuarts et la perte de l'Irlande.
3. William Middleton, arrière-grand-père maternel, capitaine et contre-bandier.
4. W. Pollexfen, capitaine au long cours, grand-père maternel (très forte influence sur Yeats), cf. *Autobiographie* (1er partie).
5. Son amour pour Maud Gonne.

SEPTEMBER 1913

What need you, being come to sense,
But fumble in a greasy till
And add the halfpence to the pence
And prayer to shivering prayer, until
You have dried the marrow from the bone?
For men were born to pray and save:
Romantic Ireland's dead and gone,
It's with O'Leary in the grave.

Yet they were of a different kind,
The names that stilled your childish play,
They have gone about the world like wind,
But little time had they to pray
For whom the hangman's rope was spun,
And what, God help us, could they save?
Romantic Ireland's dead and gone,
It's with O'Leary in the grave.

SEPTEMBRE 1913 [1]

Ne vous suffit-il pas, aujourd'hui raisonnable,
De farfouiller dans un tiroir graisseux
Et d'empiler des sous les uns sur les autres
Et d'égrener de frileuses prières jusqu'à
N'être plus qu'un vieux tronc desséché ?
Car les hommes sont nés pour amasser et pour prier.
L'Irlande romantique est morte et disparue,
Elle gît avec O'Leary [2] dans la tombe.

Ils étaient pourtant d'une race différente
Ceux dont les noms arrêtaient vos jeux d'enfants,
Ils ont passé sur le monde comme le vent
Mais ils n'avaient que peu de temps pour prier
Ceux qu'attendait déjà la corde du bourreau,
Et, que Dieu nous garde, que pouvaient-ils amasser ?
L'Irlande romantique est morte et disparue,
Elle gît avec O'Leary dans la tombe.

1. Poème né de la vive controverse à laquelle Yeats se mêla au sujet de la donation Lane au Musée de Dublin.
2. Johnn O'Leary, ancien dirigeant du mouvement Sinn Fein avec lequel Yeats eut des relations étroites et parfois difficiles.
Cf. *Autobiographie*, ce que Yeats dit de lui p. 58 *et passim* et p. 126 *et passim*.

Was it for this the wild geese spread
The grey wing upon every tide;
For this that all that blood was shed,
For this Edward Fitzgerald died,
And Robert Emmet and Wolfe Tone,
All that delirium of the brave?
Romantic Ireland's dead and gone,
It's with O'Leary in the grave.

Yet could we turn the years again,
And call those exiles as they were
In all their loneliness and pain,
You'd cry,'Some woman's yellow hair
Has maddened every mother's son':
They weighed so lightly what they gave.
But let them be, they're dead and gone,
They're with O'Leary in the grave.

Est-ce pour cela que les oies sauvages ont ouvert
Grand leurs ailes grises sur toutes les mers,
Pour cela que fut versé tout ce sang,
Pour cela qu'Edward Fitzgerald[1] est mort
Et Robert Emmet[2] et Wolfe Tone[3],
Toute la folie de ces braves ?
L'Irlande romantique est morte et disparue,
Elle gît avec O'Leary dans la tombe.

Pourtant si nous pouvions changer le cours des ans
Et rappeler de leur exil tous ces êtres d'alors
Avec toute leur solitude et leur souffrance,
Vous diriez dans un cri « C'est la blonde chevelure
    d'une femme
Qui a rendu fous les fils de cette terre »
Ils ont trop peu songé à ce qu'ils lui donnaient ;
Mais qu'importe, ils sont morts et disparus
Et gisent avec O'Leary dans la tombe.

1. Edward Fitzgerald et Wolfe Tone : Nationalistes irlandais, capturés par les Britanniques, accusés de trahison, morts en prison en 1798.
2. Robert Emmet : Cf. *Responsabilités* (p. 99).
3. Edward Fitzgerald et Wolfe Tone : Nationalistes irlandais, capturés par les Britanniques, accusés de trahison, morts en prison en 1798.

THE MAGI

Now as at all times I can see in the mind's eye,
In their stiff, painted clothes, the pale unsatisfied ones
Appear and disappear in the blue depth of the sky
With all their ancient faces like rain-beaten stones,
And all their helms of silver hovering side by side,
And all their eyes still fixed, hoping to find once more,
Being hy Calvary's turbulence unsatisfied,
The uncontrollable mystery on the bestial floor.

LES MAGES [1]

Aujourd'hui comme toujours je les vois en imagination
Roides dans leurs robes de couleurs, ces pâles
   insatisfaits
Venir et disparaître dans le bleu profond du ciel,
Et leurs visages antiques comme des pierres battues de
   pluie,
Et leurs heaumes d'argent glisser côte à côte dans le ciel,
Et le regard fixe de leurs yeux, déçus par le tumulte du
   Calvaire,
Espérant retrouver sur la terre des bêtes
Le mystère que l'homme ne peut contrôler [2].

Composé 20 Septembre 1913
Publié Mai 1914

1. Cette image est complémentaire de celle des poupées enragées
décrites dans le poème. *Les Poupées* (cf. note au poème *Les Poupées*,
p. 131).
   Yeats dit qu'il a écrit ce poème à la suite d'une vision de « silhouettes
rigides défilant en colonne dans un ciel bleu ».
   Cf. aussi *Le Second Avènement* (p. 187), *Les Spires* (p. 289).
2. Dans la présentation de la Phase I de la lune (*A vision*, p. 105), Yeats
écrit : « Le monde de la loi et de la règle rigide est brisé par "le mystère que
l'homme ne peut contrôler sur la terre des bêtes" ».

THE DOLLS

A doll in the doll-maker's house
Looks at the cradle and bawls:
'That is an insult to us.'
But the oldest of all the dolls,
Who had seen, being kept for show,
Generations of his sort,
Out-screams the whole shelf:'Although
There's not a man can report
Evil of this place,
The man and the woman bring
Hither, to our disgrace,
A noisy and filthy thing.'
Hearing him groan and stretch
The doll-maker's wife is aware
Her husband has heard the wretch,
And crouched by the arm of his chair,

LES POUPÉES [1]

Une poupée chez le marchand
Regarde le berceau et s'écrie en braillant
« Cette chose nous insulte. »
Mais la plus ancienne des poupées
Qui, ayant fait vitrine, avait vu
Des générations d'êtres semblables,
Brailla plus fort que toute la rangée :
« Bien qu'aucun homme ne puisse dire
Du mal de cet endroit,
L'homme et la femme y apportent
Pour notre déshonneur
Cette chose bruyante et immonde. »
La femme du marchand de poupées
Entendant son mari s'étirer en geignant
Sait bien qu'il a entendu la gueuse
Et pelotonnée contre le bras de son fauteuil,

---

1. Note de Yeats : (*Collected Poems*, p. 531).
« Le sujet de ce poème m'est venu alors que je donnais une série de conférences à Dublin. J'avais une fois de plus remarqué que chez nous toute pensée se fige en "quelque chose qui n'a plus rien d'humain". Après avoir écrit le poème, un jour, les yeux levés sur le bleu du ciel, j'imaginai soudain, comme si elles étaient perdues dans le bleu du ciel, des silhouettes rigides marchant en cortège. » Je me souviens que c'était une image habituellement suggérée par le ciel bleu et cherchant une autre histoire je les appelai *Les Mages*, êtres complémentaires de ces poupées enragées.

She murmurs into his ear,
Head upon shoulder leant:
'My dear, my dear, O dear,
It was an accident.'

La tête penchée sur son épaule,
Elle lui murmure à l'oreille :
« Mon ami, mon ami, Ô mon Dieu
C'était un accident ! »

A COAT

I made my song a coat
Covered with embroideries
Out of old mythologies
From heel to throat;
But the fools caught it,
Wore it in the world's eyes
As though they'd wrought it.
Song, let them take it,
For there's more enterprise
In walking naked.

UN HABIT

J'ai fait pour mon chant un habit[1]
Couvert de broderies
Prises aux vieilles mythologies
Des pieds jusqu'aux épaules ;
Mais les sots me l'ont pris
Et s'en sont vêtus aux yeux du monde
Comme s'il était leur propre habit.
Laisse-le leur ô, mon chant,
Car il y a plus de courage
À marcher dévêtu.

1. La construction anglaise est ambiguë ; on pourrait aussi lire : « J'ai fait de mon chant un habit. »

LES CYGNES DE COOLE

*

THE WILD SWANS AT COOLE

(1919)

THE WILD SWANS AT COOLE

The trees are in their autumn beauty,
The woodland paths are dry,
Under the October twilight the water
Mirrors a still sky;
Upon the brimming water among the stones
Are nine-and-fifty swans.

The nineteenth autumn has come upon me
Since I first made my count;
I saw, before I had well finished,
All suddenly mount
And scatter wheeling in great broken rings
Upon their clamorous wings.

I have looked upon those brilliant creatures,
And now my heart is sore.
All's changed since I, hearing at twilight,
The first time on this shore,

LES CYGNES SAUVAGES DE COOLE [1]

Les arbres sont dans leur gloire d'automne,
Les chemins de la forêt sont secs,
Sous la lumière du crépuscule d'Octobre
L'eau reflète le calme du ciel ;
Sur l'eau rase du lac, parmi les pierres,
Il y a cinquante-neuf cygnes.

J'ai reçu l'assaut de dix-neuf automnes
Depuis le jour où je les comptai pour la première fois ;
Mais bien avant d'avoir fini, je les vis soudain
D'un même vol monter au ciel
Et, tournant dans la clameur de leurs ailes,
Se disperser en larges cercles éclatés.

Mon regard a suivi ces splendides créatures [2],
Et mon cœur aujourd'hui est blessé.
Tout a changé depuis ce jour
Où, suivant ce rivage d'un pas plus léger [3],

---

1. Coole Park, propriété de Lady Gregory, Comté de Galway.
Yeats fit sa première visite à Coole en 1896, il se réfère ici à sa seconde visite en 1897. Cf. le poème *Coole Park and Ballylee*, 1931 (p. 261).
2. G. Moore a aussi décrit le spectacle merveilleux donné par ces cygnes s'envolant sur le lac.
3. Yeats était tombé amoureux de Maud Gonne.

The bell-beat of their wings above my head,
Trod with a lighter tread.

Unwearied still, lover by lover,
They paddle in the cold
Companionable streams or climb the air;
Their hearts have not grown old;
Passion or conquest, wander where they will,
Attend upon them still.

But now they drift on the still water,
Mysterious, beautiful;
Among what rushes will they build,
By what lake's edge or pool
Delight men's eyes when I awake some day
To find they have flown away?

J'entendis, au crépuscule, pour la première fois,
Les cloches de leurs ailes battre sur ma tête.

Toujours infatigables, en couples amoureux [1],
Ils nagent dans les eaux froides et accueillantes
Ou escaladent le ciel ;
Leurs cœurs n'ont pas vieilli [2] ;
Ils gardent encore, en leurs courses errantes,
La passion et l'ardeur de conquête !

Mais ils glissent aujourd'hui sur le calme de l'eau
Mystérieux et beaux.
Où iront-ils bâtir ? Dans quels roseaux ?
Sur la rive de quel lac, de quel étang
Iront-ils réjouir les yeux des hommes
Lorsqu'un matin je m'éveillerai
Pour les trouver envolés ?

Octobre 1916 – Juin 1917

---

1. Cf. l'*Alastor* de Shelley où le poète est malheureux de songer aux cygnes accouplés.
   Le poète (Yeats) voit en 1916 la fin de son amour pour M. Gonne qui vient de le refuser.
2. Au contraire de celui de l'homme. Cf. le poème *Chanson* : « Qui aurait pu prédire que le cœur vieillit ».

IN MEMORY OF MAJOR ROBERT GREGORY

I

Now that we're almost settled in our house
I'll name the friends that cannot sup with us
Reside a fire of turf in th' ancient tower,
And having talked to some late hour
Climb up the narrow winding stair to bed:
Discoverers of forgotten truth
Or mere companions of my youth,
All, all are in my thoughts to-night being dead.

II

Always we'd have the new friend meet the old
And we are hurt if either friend seem cold,
And there is salt to lengthen out the smart
In the affections of our heart,
And quarrels are blown up upon that head;

À LA MÉMOIRE DU COMMANDANT ROBERT GREGORY[1]

I

Aujourd'hui presqu'enfin installé à demeure[2],
J'appelle mes amis, ceux dont la place est vide,
Auprès du feu de tourbe en cette tour antique
Avec qui j'aimerais causer tard dans la nuit
Puis gravir l'escalier en spirale[3] et dormir :
Explorateurs de vérités oubliées[4]
Ou simples compagnons de ma jeunesse,
Vous êtes tous ce soir au cœur de mes pensées,
Vous tous qui êtes morts.

II

Nous aimons toujours voir nos amis se connaître ;
Toute froideur entre eux nous peine vivement
Et des paroles amères avivent la brûlure
De notre cœur blessé dans ses affections ;
Bien des querelles ont éclaté à ce sujet ;

1. Commandant Robert Gregory, fils de Lady Gregory, homme de lettres, d'art et d'action. Légion d'Honneur, Military Cross, tué dans un combat aérien sur le front italien (par l'erreur d'un pilote italien) le 23 janvier 1918 (cf. *Un Aviateur Irlandais prévoit sa mort*, p. 153).
2. Thor Ballylee que Yeats avait achetée en 1917. Vieille tour normande, non loin de Coole, qu'il restaura et habita ensuite tous les étés jusqu'en 1929 (Cf. *La Tour*, p. 207).
3. Cf. *Les Spires*, p. 289.
4. Tous ceux intéressés à l'occultisme.

But not a friend that I would bring
This night can set us quarrelling,
For all that come into my mind are dead.

III

Lionel Johnson comes the first to mind,
That loved his learning better than mankind,
Though courteous to the worst; much falling he
Brooded upon sanctity
Till all his Greek and Latin learning seemed
A long blast upon the horn that brought
A little nearer to his thought
A measureless consummation that he dreamed.

IV

And that enquiring man John Synge comes next,
That dying chose the living world for text
And never could have rested in the tomb
But that, long travelling, he had come
Towards nightfall upon certain set apart
In a most desolate stony place,
Towards nightfall upon a race
Passionate and simple like his heart.

Mais pas un seul de ceux que j'aimerais ce soir
Appeler ne peut causer entre nous de dispute
Car ils sont morts tous ceux auxquels ce soir je pense.

III

C'est à Lionel Johnson[1] que tout d'abord je pense
Lui qui a préféré aux hommes son savoir,
Tout en restant courtois envers les pires d'entre eux ;
Il tomba[2] bien souvent mais voulut être un saint
Et finit par chanter son grec et son latin
En un long cri du cor où son âme entrevit
Cet immense idéal dont il avait rêvé.

IV

Vient alors John Synge[3], homme toujours insatisfait,
Qui en mourant choisit le livre de la vie
Et n'aurait pu trouver le repos dans la tombe
Si dans le crépuscule, après un long voyage,
Il n'avait découvert sur un roc désolé[4]
Des hommes sans pareils, là-bas au crépuscule,
Un certain type d'hommes
Simples et passionnés comme l'était son cœur.

---

1. Lionel Johnson. Poète que Yeats rencontra en 1888, membre du Rhymers' Club. Homme de grande culture, grand linguiste (cf. *Autobiographie*, p. 101), mais porté sur la boisson.
   2. Cf. poème de L. Johnson : *Mystique et Cavalier* « Éloignez-vous de moi : je suis un de ceux qui tombent » (cité par Jeffares).
   3. Yeats admirait Synge comme poète et dramaturge et ils eurent des relations d'amitié qui durèrent jusqu'à la mort de Synge. Voir à ce propos dans *Autobiographie*, pp. 125, 206-209 et tout le chapitre intitulé *La mort de Synge* (303-321).
   4. Les îles d'Aran, sur la côte ouest de l'Irlande.

V

And then I think of old George Pollexfen,
In muscular youth well known to Mayo men
For horsemanship at meets or at racecourses,
That could have shown how pure-bred horses
And solid men, for all their passion, live
But as the outrageous stars incline
By opposition, square and trine;
Having grown sluggish and contemplative.

VI

They were my close companions many a year,
A portion of my mind and life, as it were,
And now their breathless faces seem to look
Out of some old picture-book;
I am accustomed to their lack of breath,
But not that my dear friend's dear son,
Our Sidney and our perfect man,
Could share in that discourtesy of death.

VII

For all things the delighted eye now sees
Were loved by him: the old storm-broken trees
That cast their shadows upon road and bridge;
The tower set on the stream's edge;
The ford where drinking cattle make a stir

V

C'est ensuite au vieux George Pollexfen[1] que je songe
Bien connu à Mayo dans sa forte jeunesse
Pour être dans les courses un brillant cavalier ;
Il aurait pu montrer que malgré la passion
De leur sang noble et pur, hommes et chevaux ne vivent
Qu'en suivant des astres les plus violents
Les lois de quarte ou tierce opposition[2] ;
Il s'était fait plus indolent dans la contemplation.

VI

Longtemps mes compagnons intimes, ils furent aussi
Comme un peu de ma vie, un peu de mon esprit,
Et voilà qu'aujourd'hui tous leurs visages morts
Semblent me regarder du fond d'un vieil album ;
Je suis habitué à voir leurs bouches closes,
Mais que le fils chéri de ma si chère amie,
Que cet homme accompli, que ce nouveau Sidney[3]
Pût subir lui aussi l'outrage de la mort,
Je n'y étais pas préparé.

VII

Car tout ce qu'aujourd'hui voient nos yeux enchantés
Il avait su l'aimer : vieux arbres tordus des vents
Dont les ombres se plaquent sur le pont et la route ;
Tour dressée solitaire au bord du ruisseau ;
Gué silencieux que tous les soirs

1. Oncle maternel.
2. 90°, 120°, 180°, termes d'astrologie.
3. Sir Philip Sidney, soldat, courtisan, poète (1554-1586).

Nightly, and startled by that sound
The water-hen must change her ground;
He might have been your heartiest welcomer.

VIII

When with the Galway foxhounds he would ride
From Castle Taylor to the Roxborough side
Or Esserkelly plain, few kept his pace;
At Mooneen he had leaped a place
So perilous that half the astonished meet
Had shut their eyes; and where was it
He rode a race without a bit?
And yet his mind outran the horses' feet.

IX

We dreamed that a great painter had been born
To cold Clare rock and Galway rock and thorn,
To that stern colour and that delicate line
That are our secret discipline
Wherein the gazing heart doubles her might.
Soldier, scholar, horseman, he,
And yet he had the intensity
To have published all to be a world's delight.

Troublent les bêtes qui vont boire
Et d'où s'enfuit la poule d'eau ;
Mieux que quiconque il aurait su vous en parler.

VIII

Lorsqu'avec ses chiens de Galway il chevauchait
De Castle Taylor[1] jusqu'aux flancs de Roxborough[2]
Ou vers la plaine d'Esserkelly[3], peu gardaient son allure ;
Il avait à Mooneen[4] sauté un tel abîme
Que la moitié de l'assemblée avait fermé les yeux ;
Où donc un jour aussi a-t-il sur son cheval
Couru sans mors ?
Et son esprit pourtant courait plus vite encore.

IX

Nous avions vu en lui le grand peintre enfin né
Pour dire le roc glacé de Clare ou de Galway
Pour dire le buisson, de cette couleur dure,
De ce trait délicat, discipline secrète de notre art
Par où s'approfondit le clair regard du cœur.
À la fois érudit, soldat et cavalier,
Il eut aussi la force immense
De réussir en tout pour la joie de ce monde.

---

1. Castle Taylor : manoir du xxe, appartenant à la famille Pearse (apparentée à Lady Gregory) au nord de Coole (Comté de Galway).
2. Non loin de la route qui mène de Gort à Loughrea (Comté de Galway).
3. Ermitage au nord de Coole, près d'Ardrahan (Comté de Galway).
4. Près d'Esserkelly.

X

What other could so well have counselled us
In all lovely intricacies of a house
As he that practised or that understood
All work in metal or in wood,
In moulded plaster or in carven stone?
Soldier, scholar, horseman, he,
And all he did done perfectly
As though he had but that one trade alone.

XI

Some burn damp faggots, others may consume
The entire combustible world in one small room
As though dried straw, and if we turn about
The bare chimney is gone black out
Because the work had finished in that flare.
Soldier, scholar, horseman, he,
As 'twere all life's epitome.
What made us dream that he could comb grey hair?

XII

I had thought, seeing how bitter is that wind
That shakes the shutter, to have brought to mind
All those that manhood tried, or childhood loved
Or boyish intellect approved,
With some appropriate commentary on each;
Until imagination brought
A fitter welcome; but a thought
Of that late death took all my heart for speech.

Qui mieux que lui pouvait nous conseiller
Dans les mille travaux où se crée un foyer,
Lui qui savait de son esprit et de ses mains
Œuvrer le bois aussi bien que le fer
Mouler le plâtre ou tailler dans la pierre ?
À la fois érudit, soldat et cavalier,
Ce qu'il faisait était toujours parfait
On eût dit chaque fois qu'il ne savait que cela.

XI

Certains brûlent des fagots mouillés, mais d'autres
Consument en un réduit tout le brasier du monde
Comme une gerbe sèche, et si vous regardez
Il ne reste plus rien que l'âtre froid et noir :
Tout a brûlé dans cette seule flambée.
À la fois érudit, soldat et cavalier,
Il semblait résumer en lui la vie entière.
Qu'avais-je rêvé le voir, un jour, les cheveux gris ?

XII

Avec cet âpre vent qui heurte les volets
J'avais pensé, ce soir, me rappeler tous ceux
Qu'enfant j'aimai, qu'adulte j'appréciai
Ou que mon jeune esprit admira
Et dire sur chacun des mots appropriés
Que l'imagination viendrait rendre plus justes ;
Mais la seule pensée de cette mort si proche
A tout pris de la voix de mon cœur.

Composé Juin 1918
Publié *in Revue Anglaise*, Août 1918

AN IRISH AIRMAN FORESEES HIS DEATH

I know that I shall meet my fate
Somewhere among the clouds above;
Those that I fight I do not hate,
Those that I guard I do not love;
My country is Kiltartan Cross,
My countrymen Kiltartan's poor,
No likely end could bring them loss
Or leave them happier than before.
Nor law, nor duty bade me fight,
Nor public men, nor cheering crowds,
A lonely impulse of delight
Drove to this tumult in the clouds;
I balanced all, brought all to mind,
The years to come seemed waste of breath,
A waste of breath the years behind
In balance with this life, this death.

UN AVIATEUR IRLANDAIS PRÉVOIT SA MORT[1]

Je sais que mon destin m'attend
Quelque part là-haut dans les nuages ;
Pour ceux que je combats je n'ai aucune haine,
Pour ceux que je défends je n'ai aucun amour ;
Kiltartan Cross est mon pays[2],
Les pauvres de Kiltartan sont mes amis,
La vie ne peut leur faire perdre
Ni leur apporter aucun bonheur.
Nulle loi, nul devoir ne m'ont dit de me battre,
Ni conseils de notables, ni clameurs de la foule ;
Seul le puissant appel d'une joie solitaire
M'a conduit là dans le tumulte des nuages ;
Les années à venir ne semblaient que du vent,
Du vent aussi les années écoulées
Comparées à cette vie, à cette mort.

1918-1919

1. Cf. notes au précédent poème.
2. Village près de Coole (Galway).

THE DAWN

I would be ignorant as the dawn
That has looked down
On that old queen measuring a town
With the pin of a brooch,
Or on the withered men that saw
From their pedantic Babylon
The careless planets in their courses,
The stars fade out where the moon comes,
And took, their tablets and did sums;
I would be ignorant as the dawn
That merely stood, rocking the glittering coach
Above the cloudy shoulders of the horses;
I would be–for no knowledge is worth a straw–
Ignorant and wanton as the dawn.

L'AUBE

Je voudrais avoir l'ignorance de l'aube
Qui de là-haut a vu
Cette vieille reine mesurer une ville[1]
Avec l'épingle d'une broche[2],
Ou ces vieillards flétris regarder
De leur pédante Babylone
La course insouciante des planètes,
Le déclin des étoiles et l'éveil de la lune,
Et saisir leurs tablettes pour y faire des calculs ;
Je voudrais avoir l'ignorance de l'aube,
Et comme elle tout simplement,
Balancer sur les épaules embrumées des chevaux
Les paillettes de son char ;
Je voudrais (car tout savoir ne vaut pas un liard)
Avoir la folle ignorance de l'aube[3].

20 Juin 1914 – Février 1916

1. Emain Macha, près d'Armagh (capitale des rois de la « Branche Rouge »), appelée Navan.
2. La vieille Reine d'Ulster : Macha, Maeve, Mab : elle marqua l'emplacement de son palais avec l'agrafe de son manteau, d'où le nom du palais : Emania.
3. « Je me persuadai que j'avais la passion de l'aube et cette passion, quoique étant essentiellement une attitude et comme un jeu d'enfant, avait ses moments de sincérité. Bien des années plus tard, quand j'eus terminé les *Errances d'Ossian*, j'ai délibérément remodelé mon style et recherché délibérément une impression de lumière froide et de nuées. » *(Autobiographie)*.
    Cf. *Le Pêcheur* (p. 161).

ON WOMAN

May God be praised for woman
That gives up all her mind,
A man may find in no man
A friendship of her kind
That covers all he has brought
As with her flesh and bone,
Nor quarrels with a thought
Because it is not her own.

Though pedantry denies,
It's plain the Bible means
That Solomon grew wise
While talking with his queens,
Yet never could, although
They say he counted grass,
Count all the praises due
When Sheba was his lass,
When she the iron wrought, or
When from the smithy fire
It shuddered in the water:
Harshness of their desire
That made them stretch and yawn,

LA FEMME

Dieu soit loué pour la femme
Qui nous fait don de son esprit ;
L'Homme en nul homme n'a chance
De trouver pareil ami
Qui de sa chair et de son corps
Couvre tout ce qu'il apporte
Et ne s'offense pas d'une idée
Parce qu'elle ne l'a pas trouvée.

Les pédants ont beau le nier
La Bible dit fort clairement
Que Salomon devint plus avisé[1]
Avec ses reines en bavardant,
Mais il ne put jamais pourtant
Bien que, dit-on, il comptât l'herbe
Compter les multiples louanges
De Saba, quand elle fut sa belle,
Quand elle battait le fer, ou
Que, du feu de forge retiré,
Dans l'eau il frémissait[2] :
Violence de leur désir fou
Où ils s'étiraient en bâillant,

1. Cf. Proverbes 4, 5-7.
2. Même connotation sexuelle dans *Leda et le Cygne* (p. 243).

Pleasure that comes with sleep,
Shudder that made them one.
What else He give or keep
God grant me—no, not here,
For I am not so bold
To hope a thing so dear
Now I am growing old,
But when, if the tale's true,
The Pestle of the moon
That pounds up all anew
Brings me to birth again—
To find what once I had
And know what once I have known,
Until I am driven mad,
Sleep driven from my bed,
By tenderness and care,
Pity, an aching head,
Gnashing of teeth, despair;
And all because of some one
Perverse creature of chance,
And live like Solomon
That Sheba led a dance.

Plaisir qui vient dans le sommeil
Frisson qui d'eux ne faisait qu'un.
Dans Son partage universel
Que Dieu m'accorde – non point ici,
Car je n'ai point la folie
D'espérer don si précieux
Aujourd'hui que je suis vieux,
Mais, si la fable est vraie, le jour
Où le Pilon de la lune[1]
En broyant le monde à neuf
Me fera renaître à mon tour –
Qu'il m'accorde de retrouver
Ce que jadis j'avais,
De connaître ce que jadis je connus
Jusqu'à en devenir fou
Dans un lit sans sommeil
Par souci de mes amours
Par pitié ou mal de tête
Grincements de dents ou désespoir
Et tout cela pour quelque
Perverse créature du hasard
Et qu'il m'accorde d'être
Comme Salomon que Saba menait au bal.

Composé 25 Mai 1914
Publié Février 1916

---

1. Image de la mythologie hindoue, cf. Mobini Chatterjee « Tout ce qui
a été sera encore », cf. aussi Swedenborg et sa croyance en la réincarnation.
Pour ces références à la réincarnation, voir *A Vision*, cf. aussi *Autobiographie* (p. 226).

THE FISHERMAN

Although I can see him still,
The freckled man who goes
To a grey place on a hill
In grey Connemara clothes
At dawn to cast his flies,
It's long since I began
To call up to the eyes
This wise and simple man.
All day I'd looked in the face
What I had hoped'twould be
To write for my own race
And the reality;
The living men that I hate,
The dead man that I loved,

LE PÊCHEUR

Je le vois encore
Cet homme aux taches de rousseur
Partir vers un lieu gris par la colline[1]
En ses vêtements gris de Connemara[2]
Pour lancer à l'aube ses mouches ;
Il y a longtemps qu'un jour
Je me pris à évoquer
Cet homme simple et sage.
J'avais passé le jour à regarder en face
Ce que j'avais cru être
Écrire pour ma race
Et la réalité ;
Ces hommes vivants que je hais,
Cet homme mort[3] que j'adorais,

1. Cf. *Sujet pour un poème* écrit en mai 1913.
« Il marche le long d'un ruisseau
Dans son habit de drap rustique
Il tient une ligne à la main. »
2. Yeats voulut avoir lui-même des habits en drap de Connemara,
cf. aussi le poème : *La Tour* (3e partie) (p. 217).
« Je choisis des hommes droits et fiers
Qui remontent les ruisseaux jusqu'où
Jaillit la source et qui à l'aube
Jettent leur aiche contre
La pierre qui ruisselle. »
Le Pêcheur est une des formes du Masque.
3. Sans doute J.M. Synge.

The craven man in his seat,
The insolent unreproved,
And no knave brought to book
Who has won a drunken cheer,
The witty man and his joke
Aimed at the commonest ear,
The clever man who cries
The catch-cries of the clown,
The beating down of the wise
And great Art beaten down.

Maybe a twelvemonth since
Suddenly I began,
In scorn of this audience,
Imagining a man,
And his sun-freckled face,
And grey Connemara cloth,
Climbing up to a place
Where stone is dark under froth,
And the down-turn of his wrist
When the flies drop in the stream;
A man who does not exist,
A man who is but a dream;
And cried,'Before I am old
I shall have written him one
Poem maybe as cold
And passionate as the dawn.'

Le poltron bien en place,
L'insolent impuni,
Le coquin laissé sans jugement
Parce qu'acclamé par les ivrognes,
L'homme d'esprit et ses plaisanteries
Destinées aux vulgaires,
Et l'homme intelligent répétant à son tour
Les mots creux du manant,
Les sages bafoués,
L'Art, l'Art si grand bafoué[1].

Un jour, soudain, c'était il y a un an
Ou presque, je me pris à imaginer
En dégoût d'un tel public,
Un homme
Et son visage tavelé de soleil,
Et son habit de drap gris de Connemara,
Et je le vis monter vers un lieu
Où la pierre est sombre sous l'écume,
Et je vis le coup sec de son poignet
Quand la mouche tombe sur l'eau ;
Un homme qui n'existe pas,
Un homme qui n'est qu'un rêve ;
Et je me suis écrié : « Avant de vieillir
J'écrirai sur cet homme un
Poème aussi froid peut-être
Et aussi passionné que l'aube. »[2]

Composé 4 juin 1914
Publié Février 1916

1. Allusion à la controverse au sujet de la collection Lane qui fit rage à Dublin de 1908 à 1913. Sir Hugh Lane mourut en 1915.
2. Cf. *L'Aube*, p. 155.

EGO DOMINUS TUUS

Hic. *On the grey sand beside the shallow stream*
   Under your old wind-beaten tower, where still
   A lamp burns on beside the open book
   That Michael Robartes left, you walk in the moon,
   And, though you have passed the best of life, still
      trace,
   Enthralled hy the unconquerable delusion,
   Magical shapes.

Ille.   *By the help of an image*
   I call to my own opposite, summon all
   That I have handled least, least looked upon.

EGO DOMINUS TUUS [1]

Hic.   Sur les sables blanchis près du petit ruisseau
Au pied de ton antique tour battue des vents,
Où brille encore la lampe auprès du livre ouvert
De Michael Robartes [2], tu marches sous la lune
Et, bien que passé le meilleur de la vie, tu traces
Encore, ensorcelé par l'insaisissable mirage,
Des formes magiques.

Ille [3].   À l'aide d'une image
J'appelle mon contraire, et fais venir à moi
Tout ce que j'ai le moins pratiqué, le moins
contemplé.

---

1. Mots prononcés par « Le Seigneur à l'Aspect Terrible », dans la *Vita Nuova* de Dante (1293), traduite par D.G. Rossetti en 1861.
2. Michael Robartes : Personnage inventé par Yeats, sorte de double de lui-même, celui à qui Yeats attribue la découverte d'un vieux manuscrit qui deviendra *A Vision*.
3. Hic et Ille : Les deux personnages du dialogue de l'être.
Hic, l'être primaire, solaire, objectif, associé au corps qui se cherche lui-même.
Ille, l'être antithétique, lunaire, subjectif, associé à l'âme qui cherche son contraire, une image, un Masque afin de découvrir sa vraie nature.
Cette image, cet autre moi, est aussi celui qu'évoque Yeats dans *Le Pêcheur* (p. 161) (cf. « Fouler le sable humide au bord du ruisseau »).
Pour comprendre ce système complexe des figures contraires et anti-thétiques, voir *A Vision* et le diagramme dessiné par Yeats de « La Grande Roue des Phases Lunaires » (cf. annexe n° 4).

Hic.   *And I would find myself and not an image.*

Ille.   *That is our modern hope, and by its light*
We have lit upon the gentle, sensitive mind
And lost the old nonchalance of the hand;
Whether we have chosen chisel, pen or brush,
We are but critics, or but half create,
Timid, entangled, empty and abashed,
Lacking the countenance of our friends.

Hic.   *And yet*
The chief imagination of Christendom,
Dante Alighieri, so utterly found himself
That he has made that hollow face of his
More plain to the mind's eye than any face
But that of Christ.

Ille.   *And did he find himself*
Or was the hunger that had made it hollow
A hunger for the apple on the bough
Most out of reach? and is that spectral image
The man that Lapo and that Guido knew?
I think he fashioned from his opposite
An image that might have been a stony face
Staring upon a Bedouin's horse-hair roof
From doored and windowed cliff, or half upturned
Among the coarse grass and the camel-dung.

Hic.   C'est moi que je voudrais trouver, non une image.

Ille.   Voilà l'espoir d'aujourd'hui ; et à sa lumière
Nous avons découvert l'esprit sensible et mièvre
Et perdu l'antique nonchalance des mains.
Que nous prenions le ciseau, la plume ou le
    pinceau,
Pauvres critiques, créateurs imparfaits, nous
    sommes
Timides, embarrassés, sans force, interdits,
Dépourvus de l'assurance de nos amis.

Hic.   Pourtant
La plus grande imagination de la Chrétienté,
Dante Alighieri, a si bien su se trouver
Lui-même qu'il a rendu son visage émacié
Plus clair au regard de l'esprit qu'aucun visage
Hormis celui du Christ.

Ille.   Est-ce lui qu'il a trouvé
Ou la faim qui avait émacié son visage
N'était-elle que faim de saisir sur la branche
La pomme la plus inaccessible ? et ce spectre
    est-il
Cet homme que connurent Lapo et Guido ?[1]
Je crois qu'il a créé en prenant son contraire
Une image, peut-être un visage de pierre,
L'œil fixé sur la tente en poil de cheval d'un
    Bédouin[2]
Du fond des trous de la falaise, ou levé vers le ciel
Parmi les herbes rudes et la fiente de chameau.

1. Lapo Gianni et Guido Cavalcanti, poètes italiens amis de Dante.
2. Étrange image d'instabilité objective que l'on retrouve dans *Coole Park and Ballylee*, 1931, p. 261 :
    « Nous partons en errance – toute cette gloire perdue –
    Comme un pauvre nomade avec sa tente. »

He set his chisel to the hardest stone.
Being mocked by Guido for his lecherous life,
Derided and deriding, driven out
To climb that stair and eat that bitter bread,
He found the unpersuadable justice, he found
The most exalted lady loved by a man.

Hic.   *Yet surely there are men who have made their art*
    Out of no tragic war, lovers of life,
    Impulsive men that look for happiness
    And sing when they have found it.

Ille.   *No, not sing,*
    For those that love the world serve it in action,
    Grow rich, popular and full of influence,
    And should they paint or write, still it is action:
    The struggle of the fly in marmalade.
    The rhetorician would deceive his neighbours,
    The sentimentalist himself; while art
    Is but a vision of reality.
    What portion in the world can the artist have

Il planta son ciseau dans la pierre la plus dure
Et raillé par Guido pour sa vie de luxure
Moqué et moqueur, chassé et condamné
À gravir ces marches et manger ce pain amer,
Il trouva l'inflexible justice ; il trouva
La plus noble des dames qui fût jamais aimée. [1]

Hic.   Mais il y a sûrement des hommes qui n'ont pas
        fait leur art
    D'une lutte tragique, des amants de la vie,
    Des hommes impulsifs qui cherchent le bonheur
    Et le chantent quand ils l'ont trouvé.

Ille.   Ils ne le chantent pas,
    Car qui a aimé le monde le sert par ses actions
    Devient riche, populaire, influent ;
    Qu'il soit peintre, écrivain, c'est toujours un
        acteur :
    Il lutte comme une mouche dans la confiture [2]
    Le rhéteur voudrait bien abuser ses voisins [3],
    Et le sentimental s'abuser lui-même ;
    Or l'art n'est que vision de la réalité.
    Quelle part du monde l'artiste peut-il avoir

Ce « visage de pierre », Yeats l'a-t-il emprunté au poème de Shelley : *La Reine Mab* ? Cf. *Les Spires* (p. 289).

Ces « falaises » percées de trous sont-elles celles de Pétra et leurs monastères ? (Jeffares).

1. Béatrice.

2. Cette surprenante métaphore, nous la trouvons dans l'*Autobiographie* (p. 206) où Yeats rapporte une visite qu'il fit à Verlaine dans l'appartement de celui-ci sous les combles d'une maison de la rue Saint-Jacques et au cours de laquelle Verlaine, lui demandant s'il connaissait Paris, lui dit en lui montrant sa jambe blessée que c'était Paris qui l'avait brûlée à vif et qu'il y vivait « comme une mouche dans la confiture ».

3. Ce vers est à rapprocher de ce que Yeats dit dans *Mythologies* : « Nous poètes écrivains au milieu de nos incertitudes ».

Who has awakened from the common dream
But dissipation and despair?

Hic.   *And yet*
  No one denies to Keats love of the world;
  Remember his deliberate happiness.

Ille.   *His art is happy, but who knows his mind?*
  I see a schoolboy when I think of him,
  With face and nose pressed to a sweet-shop window,
  For certainly he sank into his grave
  His senses and his heart unsatisfied,
  And made—being poor, ailing and ignorant,
  Shut out from all the luxury of the world,
  The coarse-bred son of a livery-stable keeper—
  Luxuriant song.

Hic.   *Why should you leave the lamp*
  Burning alone beside an open book,
  And trace these characters upon the sands?
  A style is found by sedentary toil
  And by the imitation of great masters.

Ille.   *Because I seek an image, not a book.*
  Those men that in their writings are most wise
  Own nothing but their blind, stupefied hearts.
  I call to the mysterious one who yet
  Shall walk the wet sands by the edge of the stream

Quand il s'est réveillé du rêve du commun
Sinon folie de plaisirs et désespoir ?[1]

Hic.   Pourtant
Personne ne peut nier que Keats aimait le monde ;
Souviens-toi comme il voulait y être heureux.

Ille.   Heureux son art mais que savons-nous de son
                cœur ?
        Je vois lorsque je pense à lui un gamin
        Le nez collé à la vitrine d'une confiserie,
        Car sûrement lorsqu'en sa tombe il disparut
        Ni son corps ni son cœur ne s'étaient rassasiés,
        Et il a fait – lui pauvre, malade et ignorant,
        Lui jamais invité aux fêtes de ce monde
        Enfant d'un remiseur, aux manières de rustre –
        Le plus beau chant du monde[2].

Hic.   Pourquoi laisser la lampe
        Allumée solitaire auprès du livre ouvert,
        Et tracer ces signes dans le sable ?
        Un style se fait par le labeur sédentaire
        Et par l'imitation des grands maîtres.

Ille.   C'est que je cherche une image et non un livre.
        Tous ceux dont les écrits sont emplis de sagesse
        N'ont rien d'autre que leur cœur aveugle et
                gourd.
        J'invoque l'être mystérieux qui viendra
        Fouler encore le sable humide au bord du
                ruisseau[3]

1. Il semble, si l'on se réfère à *Mythologies*, que ce soit une allusion à
Lionel Johnson et à Ernest Dowson.
2. Yeats vouait une grande admiration à la poésie de Keats.
3. Cf. les poèmes *La Tour* (p. 207), *Le Pêcheur* (p. 161).

And look most like me, being indeed my double,
And prove of all imaginable things
The most unlike, being my anti-self,
And, standing by these characters, disclose
All that I seek; and whisper it as though
He were afraid the birds, who cry aloud
Their momentary cries before it is dawn,
Would carry it away to blasphemous men.

Et sera presque moi, puisqu'il sera mon double,
Et sera, pourtant, de toute chose au monde,
Le plus différent de moi, étant mon contraire,
Et qui debout devant ces signes, découvrira
Tout ce que je cherche ; et le dira dans un souffle
Comme s'il avait peur que les oiseaux bavards
Qui criaillent un instant aux premières lueurs de
     l'aube
N'aillent le répéter aux hommes profanateurs[1].

Composé d'Octobre à Décembre 1915
Publié Octobre 1917

---

1. À propos de ce poème. Yeats dans une lettre à son père lui signalait qu'il avait inventé un système dont il disait que « le fait de l'avoir mis au point a aidé ma poésie, m'a donné un nouveau cadre et de nouveaux schémas. Ainsi année après année, on met de l'ordre dans le désordre de son esprit et c'est cela qui donne à la création sa véritable impulsion ».

Ce système est celui qu'il a tenté d'expliciter dans *A Vision*.

MICHAEL ROBARTES ET LA DANSEUSE

*

MICHAEL ROBARTES AND THE DANCER

(1921)

EASTER 1916

I have met them at close of day
Coming with vivid faces
From counter or desk among grey
Eighteenth-century houses.
I have passed with a nod of the head
Or polite meaningless words,
Or have lingered awhile and said
Polite meaningless words,
And thought before I had done
Of a mocking tale or a gibe
To please a companion
Around the fire at the club,
Being certain that they and I
But lived where motley is worn:
All changed, changed utterly:
A terrible beauty is born.

PÂQUES 1916[1]

Je les ai rencontrés à la tombée du jour
Hommes de comptoir, hommes de bureau
Qui marchaient le visage enflammé
Entre nos maisons grises du dix-huitième siècle.
Je les ai salués en passant de la tête
Parfois de quelques mots anodins et polis,
Et je me suis aussi attardé pour leur dire
Quelques mots anodins et polis,
Et je pensais déjà avant de leur parler
À mes sarcasmes, à mes plaisanteries
Aux rires de mes amis
Le soir au club[2] devant le feu,
Car je savais bien que leur monde et le mien
N'étaient qu'un monde de bouffons :
Tout est changé, changé absolument :
Une beauté terrible vient de naître.

1. La République Irlandaise fut proclamée le 24 avril par les volon-
taires de la Fraternité Républicaine d'Irlande (environ 700). Ils occupèrent
le centre de Dublin jusqu'au 29 environ. Suivit une terrible répression
anglaise au terme de laquelle du 3 au 12 mai quinze chefs rebelles furent
jugés en Cour martiale et exécutés.
    Le 11 mai, Yeats écrivit à Lady Gregory pour lui faire part de sa peine :
« Je vais écrire un poème sur les hommes qui ont été exécutés. Une beauté
terrible est née de nouveau ».
2. L'Arts' Club dont Yeats était membre.

That woman's days were spent
In ignorant good-will,
Her nights in argument
Until her voice grew shrill.
What voice more sweet than hers
When, young and beautiful,
She rode to harriers?
This man had kept a school
And rode our wingèd horse;
This other his helper and friend
Was coming into his force;
He might have won fame in the end,
So sensitive his nature seemed,
So daring and sweet his thought.

This other man I had dreamed
A drunken, vainglorious lout.
He had done most bitter wrong
To some who are near my heart.
Yet I number him in the song;
He, too, has resigned his part
In the casual comedy;
He, too, has been changed in his turn,
Transformed utterly:
A terrible beauty is born.

Hearts with one purpose alone
Through summer and winter seem

Parmi eux cette femme[1]
Le jour candide et douce,
Et qui passait ses nuits en folles discussions
Où sa voix s'est cassée.
Quelle voix cependant plus douce que la sienne
Quand, jeune et belle encore,
Elle chassait à courre ;
Cet homme aussi, ancien maître d'école[2]
Qui enfourcha notre cheval ailé ;
Cet autre encore[3], son ami et soutien,
Dont la valeur peu à peu s'affirmait ;
Il aurait pu un jour devenir célèbre,
Il avait pour cela une âme assez sensible,
Un esprit assez fin et assez audacieux.

Cet autre enfin[4] que j'avais pris
Pour un ivrogne, un vaniteux et un sot.
Il avait en son temps cruellement frappé
Des êtres qui me sont chers[5],
Et pourtant aujourd'hui je chanterai son nom ;
Lui aussi vient de quitter son rôle
Dans cette pauvre comédie ;
Lui aussi à son tour est changé,
Changé absolument ;
Une beauté terrible vient de naître.

Les cœurs qui gardent à travers les saisons
Le même unique amour

1. Con Markiewicz, cf. le poème : *À la Mémoire d'Eva Gore-Booth et de Con Markiewicz* (p. 257).
2. Padric Pearse, pédagogue, avocat, poète et révolutionnaire.
3. Th. MacDonagh, poète dramaturge, professeur à l'Université de Dublin.
4. Major McBride ; il avait épousé Maud Gonne en 1903, puis s'était séparé d'elle.
5. Maud, Iseult, Sean McBride.

Enchanted to a stone
To trouble the living stream.
The horse that comes from the road,
The rider, the birds that range
From cloud to tumbling cloud,
Minute by minute they change;
A shadow of cloud on the stream
Changes minute by minute;
A horse-hoof slides on the brim,
And a horse plashes within it;
The long-legged moor-hens dive,
And hens to moor-cocks call;
Minute by minute they live:
The stone's in the midst of all.

Too long a sacrifice
Can make a stone of the heart.
O when may it suffice?
That is Heaven's part, our part
To murmur name upon name,
As a mother names her child
When sleep at last has come
On limbs that had run wild.
What is it but nightfall?
No, no, not night but death;
Was it needless death after all?
For England may keep faith
For all that is done and said,

We know their dream; enough
To know they dreamed and are dead;
And what if excess of love
Bewildered them till they died?

Semblent mués en pierre
Au milieu du courant de la vie.
Le cheval qui là-bas s'avance sur la route,
Le cavalier, les oiseaux qui traversent
Le déferlement des nuages,
Tous changent de minute en minute ;
L'ombre d'un nuage sur le courant
De minute en minute change ;
Le sabot d'un cheval a glissé sur la rive,
Le cheval éclabousse l'eau
Les poules d'eau aux longues pattes plongent,
Les poules d'eau appellent leurs mâles ;
De minute en minute ils sont en vie :
La pierre demeure en leur milieu.

Un trop long sacrifice
Peut bien d'un cœur faire une pierre.
Quand sera-ce donc assez ?
Dieu seul le dira ; notre rôle à nous
Est de redire sans fin tout doucement leurs noms,
Comme une mère redit celui de son enfant
Qui de fatigue enfin vient de s'endormir.
Mais n'est-ce pas seulement la tombée de la nuit ?
Non ce n'est pas la nuit, c'est la mort ;
Était-ce après tout une mort inutile ?
L'Angleterre tiendra peut-être sa parole[1]
Malgré tout ce qu'on dit.

Nous connaissons leur rêve ; assez
Pour savoir qu'ils en sont morts ;
Et s'ils avaient perdu leur vie
Sous l'illusion d'un trop puissant amour ?

1. Le Home Rule Bill fut voté à Westminster en 1913 et suspendu à cause de la guerre de 1914.

I write it out in a verse—
MacDonagh and MacBride
And Connolly and Pearse
Now and in time to be,
Wherever green is worn,
Are changed, changed utterly:
A terrible beauty is born.

September 25, 1916

Je l'écris aujourd'hui dans ce poème :
MacDonagh et MacBride
Et Connolly[1] et Pearse
Aujourd'hui et pour l'éternité,
Partout où se porte le vert,
Sont changés, changés absolument ;
Une beauté terrible vient de naître.

Composé Septembre 1916
Publié 1920

1. James Connolly, Commandant en Chef des insurgés, blessé au combat et exécuté en chaise roulante.

THE ROSE TREE

'O words are lightly spoken,'
Said Pearse to Connolly,
'Maybe a breath of politic words
Has withered our Rose Tree;
Or maybe but a wind that blows
Across the bitter sea.'

'It needs to be but watered,'
James Connolly replied,
'To make the green come out again
And spread on every side,
And shake the blossom from the bud
To be the garden's pride.'

'But where can we draw water,'
Said Pearse to Connolly,
'When all the wells are parched away;
O plain as plain can be
There's nothing but our own red blood
Can make a right Rose Tree.'

LE ROSIER

« Oh, on parle bien légèrement »
Dit Pearse à Connolly [1] ;
« Peut-être un souffle de paroles habiles
A flétri notre Rosier ;
Ou peut-être est-ce un vent
Qui balaye les flots amers ».

« Il suffit de l'arroser »
Répondit James Connolly
« Pour faire jaillir sa verdure
Et s'étaler ses ramures
Éclater ses bourgeons
Et donner au jardin sa parure ».

« Mais où trouver de l'eau »
Dit Pearse à Connolly
« Quand tous les puits sont asséchés ?
Pour sûr c'est vrai,
Il n'y a que l'eau rouge de notre sang
Qui puisse en faire un beau Rosier ».

1. Cf. notes au précédent poème : *Pâques 1916.*

THE SECOND COMING

Turning and turning in the widening gyre
The falcon cannot hear the falconer;
Things fall apart; the centre cannot hold;
Mere anarchy is loosed upon the world,
The blood-dimmed tide is loosed, and everywhere
The ceremony of innocence is drowned;
The best lack all conviction, while the worst
Are full of passionate intensity.

Surely some revelation is at hand;
Surely the Second Coming is at hand.
The Second Coming! Hardly are those words out
When a vast image out of Spiritus Mundi

LE SECOND AVÈNEMENT[1]

Tournant toujours plus haut sur la spire[2] qui grandit
Le faucon n'entend plus l'appel du fauconnier ;
Les choses se séparent ; leur centre ne tient plus ;
La brutale anarchie[3] déferle sur le monde,
Le flot souillé de sang déferle et noie partout
Les rites sacrés de l'innocence ;
Les hommes les meilleurs ont perdu toute foi,
Les plus mauvais étouffent d'une folle passion.

Sans aucun doute une révélation est proche ;
Sans aucun doute le Second Avènement est proche.
Le Second Avènement ! À peine ai-je prononcé ces mots
Qu'une vision énorme montant du *Spiritus Mundi*[4]

1. Évangile selon St Jean : la Bête de l'Apocalypse dans le livre de l'Apocalypse.
Évangile selon St Mathieu : XXIV.
2. Relation à la forme de la spire extérieure qui s'agrandit au point où va naître la spire intérieure, son contraire (cf. le diagramme dessiné par Yeats dans *A Vision*, p. 68).
Cette forme de la spire a été d'abord dessinée le 6 décembre 1917, dit Yeats, dans *A Vision* (p. 11) par ceux qu'il appelle ses « Instructeurs » ou ses « Maîtres ».
(Cf. annexe n° 3, p. 310.)
3. Guerre civile en Irlande, Première Guerre mondiale, Révolution russe (cf. *Autobiographie*, p. 118).
4. *Spiritus Mundi*. Dans une note au poème en 1921, Yeats le définit comme « un réservoir commun d'images qui a cessé d'être le bien d'une personne ou d'un esprit individuels ».

Troubles my sight: somewhere in sands of the desert
A shape with lion body and the head of a man,
A gaze blank and pitiless as the sun,
Is moving its slow thighs, while all about it
Reel shadows of the indignant desert birds.
The darkness drops again; but now I know
That twenty centuries of stony sleep
Were vexed to nightmare by a rocking cradle,
And what rough beast, its hour come round at last,
Slouches towards Bethlehem to be born?

Trouble mon regard ; quelque part dans les sables du
  désert
Une forme au corps de lion et à tête d'homme[1]
À l'œil vide et cruel comme le soleil
Déplace lentement ses cuisses et alentour
Tournoient les ombres indignées des oiseaux du désert.
L'obscurité retombe ; mais je sais maintenant
Que pour un berceau vingt siècles d'un sommeil de pierre
Ont dû connaître le tourment du cauchemar,
Et quelle bête informe[2], son heure enfin revenue,
Se traîne vers Bethléem pour y voir le jour.

Composé Janvier 1919
Publié Novembre 1920

1. Dans le chapitre « Introduction à La Résurrection », publié dans
Explorations, Yeats indique, p. 303, la source de cette image.
2. Image complexe et composite faite à la fois du Sphinx, du Tigre de
Blake et de la Bête de l'Apocalypse.

A PRAYER FOR MY DAUGHTER

Once more the storm is howling, and half hid
Under this cradle-hood and coverlid
My child sleeps on. There is no obstacle
But Gregory's wood and one bare hill
Whereby the haystack and roof-levelling wind,
Bred on the Atlantic, can be stayed;
And for an hour I have walked and prayed
Because of the great gloom that is in my mind.

I have walked and prayed for this young child an hour
And heard the sea-wind scream upon the tower,
And under the arches of the bridge, and scream
In the elms above the flooded stream;
Imagining in excited reverie
That the future years had come,
Dancing to a frenzied drum,
Out of the murderous innocence of the sea.

May she be granted beauty and yet not
Beauty to make a stranger's eye distraught,
Or hers before a looking-glass, for such,

PRIÈRE POUR MA FILLE

C'est encore ce soir le hurlement du vent[1]
Mais sous sa couverture au fond de son berceau
Mon enfant dort toujours[2]. Il n'y a pas d'obstacle
Sauf le bois des Gregory et une croupe aride
Où le vent niveleur des meules et des toits
Vienne briser son élan jailli de l'Atlantique ;
Depuis une heure je marche et je prie
Pour la grande tristesse qui est en mon esprit.

Je marche et je prie depuis une heure pour ce petit enfant,
J'entends le vent de mer crier dessus la tour,
Sous les arches du pont, le vent de mer qui crie
Dans les ormes penchés sur le ruisseau en crue,
Imaginant dans une folle rêverie
Qu'étaient venues déjà les années à venir
Jaillies dans une danse au rythme frénétique[3]
Des tambours de l'innocence meurtrière de la mer.

Qu'il lui soit accordée la beauté, et pourtant
Non cette beauté qui enivre l'œil du premier venu
Ou le sien devant un miroir car celles

---

1. Le poème fut écrit dans la tour de Thor Ballylee.
2. Anne B. Yeats, née à Dublin le 26 février 1919.
3. Cf. *Le Second Avènement* (vers 5-6, p. 187).

Being made beautiful overmuch,
Consider beauty a sufficient end,
Lose natural kindness and maybe
The heart-revealing intimacy
That chooses right, and never find a friend.

Helen being chosen found life flat and dull
And later had much trouble from a fool,
While that great Queen, that rose out of the spray,
Being fatherless could have her way
Yet chose a bandy-leggèd smith for man.
It's certain that fine women eat
A crazy salad with their meat
Whereby the Horn of Plenty is undone.

In courtesy I'd have her chiefly learned;
Hearts are not had as a gift but hearts are earned
By those that are not entirely beautiful;
Yet many, that have played the fool
For beauty's very self, has charm made wise,
And many a poor man that has roved,
Loved and thought himself beloved,
From a glad kindness cannot take his eyes.

May she become a flourishing hidden tree
That all her thoughts may like the linnet be,
And have no business but dispensing round
Their magnanimities of sound,
Nor but in merriment begin a chase,
Nor but in merriment a quarrel.
O may she live like some green laurel
Rooted in one dear perpetual place.

À qui il fut donné d'être parfaitement belles
Ne voient dans la beauté qu'une fin dernière
Et perdent la douceur naturelle et peut-être
Cette grâce intime qui révèle les cœurs
Et qui sait bien choisir ; elles n'ont jamais d'amis.

Hélène, que l'on choisit, trouva la vie bien morne
Et ne connut plus tard que des ennuis d'un sot ;
Quand cette grande reine qui jaillit de l'écume
Et, n'ayant pas de père, pouvait faire à sa guise
Se choisit pour époux un forgeron bancal.
Assurément toutes les jolies femmes
Assaisonnent leurs mets d'une étrange salade
Par où se vide la Corne d'Abondance[1].

En courtoisie surtout je la voudrais instruite ;
On n'obtient pas les cœurs en cadeau ; ceux qui gagnent
    les cœurs
Sont ceux qui ne sont pas impeccablement beaux.
Nombreux pourtant sont ceux dont la seule beauté
Avait tourné la tête et que le charme a rendus sages
Et bien des malheureux qui s'étaient égarés
Aimant et se croyant aimés
Ne peuvent s'arracher au sourire de la tendresse.

Puisse-t-elle, arbre florissant, grandir à l'abri des regards ;
Que toutes ses pensées ne soient que des oiseaux
N'ayant d'autre souci que de répandre
La sublime largesse de leurs chants ;
Que toute poursuite ne soit qu'un jeu pour elle
Que toute querelle ne soit qu'un jeu ;
Ô puisse-t-elle vivre comme un laurier vert
Enraciné au même sol à jamais bien-aimé.

---

1. Cornucopia : Cornes de la chèvre Amalthée, nourrice de Zeus, d'où
coulaient le nectar et l'ambroisie ; une d'elles se brisa et elle en fit cadeau
au dieu. Symbole de pouvoir magique.

My mind, because the minds that I have loved,
The sort of beauty that I have approved,
Prosper but little, has dried up of late,
Yet knows that to be choked with hate
May well be of all evil chances chief.
If there's no hatred in a mind
Assault and battery of the wind
Can never tear the linnet from the leaf.

An intellectual hatred is the worst,
So let her think opinions are accursed.
Have I not seen the loveliest woman born
Out of the mouth of Plenty's horn,
Because of her opinionated mind
Barter that horn and every good
By quiet natures understood
For an old bellows full of angry wind?

Considering that, all hatred driven hence,
The soul recovers radical innocence
And learns at last that it is self-delighting,
Self-appeasing, self-affrighting,
And that its own sweet will is Heaven's will;
She can, though every face should scowl
And every windy quarter howl
Or every bellows burst, be happy still.

Mon esprit, car les esprits que j'ai aimés,
La sorte de beauté que j'ai appréciée,
Ne sont guère nourriciers, s'est aujourd'hui desséché ;
Mais il sait qu'être étouffé par la haine
Est sans doute de tous les maux le pire[1] ;
S'il n'y a plus dans l'esprit aucune haine
Les coups et les assauts du vent
Ne peuvent arracher l'oiseau de ses feuilles.

La pire de toute haine est celle de l'intellect[2],
Qu'elle tienne donc pour maudites les convictions.
N'ai-je pas vu la plus belle femme du monde
Née de la bouche même de la Corne d'Abondance
Livrée à l'obstination de son esprit
Et troquer cette corne et tous les biens
Que reconnaissent les natures sereines
Contre un vieux soufflet qu'emplit le vent du courroux ?

Puisqu'il est vrai qu'une fois toute haine chassée
L'âme recouvre enfin l'innocence première[3]
Et apprend qu'elle est à elle-même sa joie
Sa paix et sa terreur,
Et que sa douce volonté est la volonté du Ciel ;
Elle peut, même entourée des regards noirs du monde
Des hurlements de tous les vents du monde
Même dans l'explosion de tous les vieux soufflets du
     monde
Connaître encore le bonheur.

1. Lettre à Dorothy Wellesley, 23 décembre 1936.
« La haine est une "souffrance passive", alors que l'indignation est une
sorte de joie. »
C'est parce qu'il n'exprimait selon lui que cette souffrance passive que
Yeats jugea W. Owen indigne de figurer dans sa célèbre *Anthologie de la
Poésie Anglaise*.
2. Cf. *Autobiographie*, p. 306.
3. Comparer à « L'innocence meurtrière » (V. 16).

And may her bridegroom bring her to a house
Where all's accustomed, ceremonious;
For arrogance and hatred are the wares
Peddled in the thoroughfares.
How but in custom and in ceremony
Are innocence and beauty born?
Ceremony's a name for the rich horn,
And custom for the spreading laurel tree.

June 1919

Et puisse son fiancé la conduire dans une demeure[1]
Où tout est tradition, rite et cérémonie,
L'arrogance et la haine étant de ces denrées
Que l'on colporte au carrefour des rues.
Comment sans tradition et sans cérémonie
Pourraient naître l'innocence et la beauté ?
Cérémonie veut dire Corne d'Abondance
Et tradition laurier à la vaste ramure.

Composé Février-Juin 1919
Publié Novembre 1919

---

1. Semblable à celle de Coole ou de Lissadell.

LA TOUR

*

THE TOWER

(1928)

SAILING TO BYZANTIUM

I

That is no country for old men. The young
In one another's arms, birds in the trees
—Those dying generations—at their song,
The salmon-falls, the mackerel-crowded seas,
Fish, flesh, or fowl, commend all summer long
Whatever is begotten, born, and dies.
Caught in that sensual music all neglect
Monuments of unageing intellect.

II

An aged man is but a paltry thing,
A tattered coat upon a stick, unless

VOILE VERS BYZANCE [1]

I

Ce n'est point un pays [2] pour vieillards. Les jeunes
En couples enlacés, les oiseaux dans les arbres
Tout à leurs chants, ô générations mourantes,
Saumons dans les barrages, maquereaux dans les mers,
Poisson, bête ou bien oiseau, célèbrent tout l'été
Tout ce qui est conçu, tout ce qui naît et meurt.
Prisonniers de cette sensuelle musique, tous
Oublient les monuments de l'esprit éternel.

II

Un vieil homme n'est plus qu'une piètre chose,
Quelques haillons sur un bâton [3], sauf si

---

1. Importance croissante de Byzance dans la pensée de Yeats. Ce poème est en outre fondé sur des lectures du poète telles que celles du livre de W.G. Holmes (1905), *Le Siècle de Justinien et de Théodore* ; du livre de Éd. Gibbon, *Déclin et Chute de l'Empire Romain* (1896-1900) ; ou de l'article de O.M. Dulton, *Art et Archéologie de Byzance* (1911), dans la Cambridge Medieval History.

Voir la description que fait Yeats de Byzance dans *A Vision* (p. 279-280).

Dans une causerie qu'il donna à la BBC, le 8 septembre 1931, Yeats déclarait : « Alors que les Irlandais enluminaient le livre de Kells (au VIIIᵉ siècle) et fabriquaient les crosses serties de bijoux du National Museum, Byzance était le centre de la civilisation européenne et la source de sa spiritualité ; c'est pourquoi je symbolise la recherche de la vie spirituelle par un voyage à cette cité. »

2. L'Irlande.

3. Cf. *Parmi les Écolières* (p. 247) ; cf. aussi *La Tour* (st. 1, p. 207).

Soul clap its hands and sing, and louder sing
For every tatter in its mortal dress,
Nor is there singing school but studying
Monuments of its own magnificence;
And therefore I have sailed the seas and come
To the holy city of Byzantium.

III

O sages standing in God's holy fire
As in the gold mosaic of a wall,
Come from the holy fire, perne in a gyre,
And be the singing-masters of my soul.
Consume my heart away; sick with desire
And fastened to a dying animal
It knows not what it is; and gather me
Into the artifice of eternity.

IV

Once out of nature I shall never take
My bodily form from any natural thing,
But such a form as Grecian goldsmiths make
Of hammered gold and gold enamelling
To keep a drowsy Emperor awake;

L'âme au rythme de ses mains[1], élève son chant
Pour chacun des haillons de sa robe mortelle ;
Or il n'est point d'école de chant qui ne doive
Étudier les monuments de sa propre gloire.
C'est pourquoi j'ai traversé les mers pour venir
À la sainte cité de Byzance.

III

Ô sages debout dans le feu sacré de Dieu[2],
Comme dans l'or de la mosaïque d'un mur,
Quittez ce feu sacré, tournoyez sur la spire,
Et soyez les maîtres à chanter de mon âme ;
Brûlez mon cœur en cendres ; malade de désir
Et enchaîné à ce pauvre animal qui se meurt
Il ne sait plus ce qu'il est ; que mon être entier
Soit absorbé dans l'artifice de l'éternité.

IV

Une fois délivré de nature, jamais
Mon corps ne renaîtra des formes de nature
Mais je prendrai[3] des formes que les orfèvres grecs
Créent en or martelé ou en or émaillé
Pour tenir en éveil un Empereur qui s'endort ;

1. Cette image est peut-être inspirée de Blake dont on dit qu'il vit l'âme de son frère battre des mains en montant au ciel.
   Cf. aussi : une image similaire dans la strophe VII du célèbre poème de A. Marvell : *The Garden* (1681).
2. Rappel des martyrs de la frise de Ste Apollinare Nuova de Ravenne que Yeats avait visitée en 1907 ; au cours d'un autre voyage en Sicile (1924), il avait vu d'autres mosaïques byzantines à Palerme.
3. Cf. note de Yeats au poème : « J'ai lu quelque part que dans le palais de l'Empereur à Byzance se trouvaient un arbre fait d'or et d'argent et des oiseaux artificiels qui y chantaient. »

Or set upon a golden bough to sing
To lords and ladies of Byzantium
Of what is past, or passing, or to come.

1927

Ou qu'ils posent sur un rameau d'or pour chanter
Aux seigneurs et aux dames de Byzance
Les choses qui sont passées qui passent ou vont venir.

Septembre 1927

THE TOWER

I

What shall I do with this absurdity—
O heart, O troubled heart—this caricature,
Decrepit age that has been tied to me
As to a dog's tail?
                    Never had I more
Excited, passionate, fantastical
Imagination, nor an ear and eye
That more excpected the impossible—
No, not in boyhood when with rod and fly,

LA TOUR [1]

I

Que vais-je faire de cette absurde chose
Ô, mon cœur, mon cœur inquiet, de cette caricature
De cette décrépitude à moi attachée
Comme à la queue d'un chien ?

                             Jamais encore
Je n'avais eu imagination plus fiévreuse, plus passionnée
Plus folle, ni dans les yeux et les oreilles
Une telle attente de l'impossible.
Jamais ni lorsqu'enfant avec ma canne à mouches

1. Note de Yeats au poème :
« Les personnages mentionnés dans ce poème sont associés par la légende, la tradition ou l'histoire au pays qui s'étend aux environs de Thor Ballylee ou Ballylee Castle où le poème fut écrit.

Mrs French habitait à Peterwell au XVIIIᵉ siècle et était apparentée à Sir Jonah Barrington qui rapporta l'incident de l'oreille coupée et les ennuis qui s'ensuivirent.

La belle du village et le poète aveugle sont Mary Hynes et Raftery et j'ai raconté l'incident de l'homme qui se noya dans le marais de Cloone dans mon livre : *Le Crépuscule Celte.*

Hanrahan, poursuivi en lièvre fantôme par la meute des chiens, se trouve dans mes *Histoires d'Hanrahan Le Roux.*

On a vu des fantômes jouer aux dés dans ce qui est aujourd'hui ma chambre et le vieil homme qui fit faillite vivait il y a à peu près un siècle. Selon une certaine légende, il ne pouvait sortir que le dimanche à cause de ses créanciers ; selon une autre version, il restait caché dans un passage secret.

Dans le passage sur le Cygne (dans la 3ᵉ partie du poème) je me suis fait inconsciemment l'écho d'un des plus beaux poèmes lyriques de notre temps : *La Mort du Cygne*, de Mr Sturge Moore. J'en ai souvent fait la

Or the humbler worm, I climbed Ben Bulben's back
And had the livelong summer day to spend.
It seems that I must bid the Muse go pack,
Choose Plato and Plotinus for a friend
Until imagination, ear and eye,
Can be content with argument and deal
In abstract things; or be derided by
A sort of battered kettle at the heel.

II

I pace upon the battlements and stare
On the foundations of a house, or where
Tree, like a sooty finger, starts from the earth;
And send imagination forth
Under the day's declining beam, and call
Images and memories
From ruin or from ancient trees,
For I would ask a question of them all.

Ou simplement à vers, je gravissais la croupe de Ben
    Bulben
Pour y passer tout un grand jour d'été[1].
Il va falloir, je crois, que je renvoie la Muse
Et prenne pour amis Platon et Plotin
Et l'imagination, les yeux et les oreilles
Finiront bien par accepter la controverse
Et les débats abstraits, ou ce sera la dérision
De cette vieille casserole à mes talons.

II

J'arpente les créneaux, le regard fixé
Sur les fondations de la maison ou sur l'arbre
Qui là-bas comme un doigt de suie[2], jaillit de terre
Et je lance au vent l'imagination
Sous le rayon mourant du jour et j'évoque
Images et souvenirs
De ruines et d'arbres antiques,
Car je voudrais à tous poser une question.

---

lecture, lors d'une de mes tournées de conférences en Amérique, ce qui
explique cet emprunt.
    Lorsque j'ai écrit les vers qui parlent de Platon et de Plotin, j'ai oublié
que c'est à cause de dans quelque chose notre propre regard qu'ils nous
apparaissent comme pure transcendance.
    Plotin n'a-t-il pas écrit :
    "Que chaque âme se rappelle donc cette vérité première, à savoir que
l'âme est la source de toutes choses vivantes, qu'elle leur a à toutes insufflé
la vie, choses nourries de la terre ou de la mer, toutes les créatures de l'air,
les divines étoiles du ciel, c'est elle qui a créé le soleil, elle-même qui a
formé ces cieux immenses, elle qui dirige ce vaste mouvement rythmique
– et qu'elle est un principe distinct de tous ceux à qui elle donne ordre,
mouvement et vie et qu'il faut absolument qu'on l'honore plus qu'eux, car
ils se créent ou se dissolvent selon que l'âme leur apporte la vie ou la leur
retire, tandis que l'âme ne peut se retirer d'elle-même, car elle est éter-
nelle." »
    1. Cf. *Le Pêcheur* (p. 161).
    2. Cf. image semblable dans *Les Errances d'Ossian* (p. 29).

Beyond that ridge lived Mrs. French, and once
When every silver candlestick or sconce
Lit up the dark mahogany and the wine,
A serving-man, that could divine
That most respected lady's every wish,
Ran and with the garden shears
Clipped an insolent farmer's ears
And brought them in a little covered dish.

Some few remembered still when I was young
A peasant girl commended by a song,
Who'd lived somewhere upon that rocky place,
And praised the colour of her face,
And had the greater joy in praising her,
Remembering that, if walked she there,
Farmers jostled at the fair
So great a glory did the song confer.

And certain men, being maddened by those rhymes,
Or else by toasting her a score of times,
Rose from the table and declared it right
To test their fancy by their sight;
But they mistook the brightness of the moon
For the prosaic light of day—
Music had driven their wits astray—
And one was drowned in the great bog of Cloone.

Strange, but the man who made the song was blind;
Yet, now I have considered it, I find
That nothing strange; the tragedy began
With Homer that was a blind man,
And Helen has all living hearts betrayed.

Derrière cette crête vivait Mme French ; un soir
Où sous les chandeliers et les flambeaux d'argent
S'allumaient l'acajou sombre et le vin,
Un serviteur qui savait deviner
Le moindre désir de cette grande dame
Sortit en courant et d'un coup de cisailles
Trancha les oreilles d'un fermier insolent
Et les lui rapporta sur un plateau couvert.

Certains se rappelaient encore dans mon enfance
Une jeune paysanne[1], héroïne d'une chanson,
Qui avait vécu quelque part parmi ces rochers
Et ils vantaient la couleur de ses joues
Et cela les rendait d'autant plus joyeux
Que tous se rappelaient comment lorsqu'elle venait
À la foire, les paysans s'y bousculaient,
Tellement cette chanson l'avait rendue célèbre.

Certains d'entre eux rendus fous par cet air
Ou pour avoir trop bu à sa santé
Quittaient la table en disant qu'il fallait
Que leurs yeux confirment leur vision,
Mais ils ont pris l'éclat de la lune
Pour la fade lumière du jour :
La musique avait égaré leur esprit
Et l'un d'eux se noya dans le marais de Cloone.

Étrange que celui qui écrivit ce chant
Fût aveugle ; pourtant, en y réfléchissant,
Cela n'a rien d'étrange ; cette tragédie naquit
Avec Homère, aveugle lui aussi,
Et par Hélène tous les cœurs ont été trahis.

1. Cf. note 1, p. 207.

O may the moon and sunlight seem
One inextricable beam,
For if I triumph I must make men mad.

And I myself created Hanrahan
And drove him drunk or sober through the dawn
From somewhere in the neighbouring cottages.
Caught by an old man's juggleries
He stumbled, tumbled, fumbled to and fro
And had but broken knees for hire
And horrible splendour of desire;
I thought it all out twenty years ago:

Good fellows shuffled cards in an old bawn;
And when that ancient ruffian's turn was on
He so bewitched the cards under his thumb
That all but the one card became
A pack of hounds and not a pack of cards,
And that he changed into a hare.
Hanrahan rose in frenzy there
And followed up those baying creatures towards—

O towards I have forgotten what—enough!
I must recall a man that neither love
Nor music nor an enemy's clipped ear
Could, he was so harried, cheer;
A figure that has grown so fabulous
There's not a neighbour left to say
When he finished his dog's day:
An ancient bankrupt master of this house.

Before that ruin came, for centuries,
Rough men-at-arms, cross-gartered to the knees
Or shod in iron, climbed the narrow stairs,
And certain men-at-arms there were
Whose images, in the Great Memory stored,

Ô, que la lune et le soleil ne soient
Qu'un seul et même inextricable rayon
Car mon triomphe aussi rendra les hommes fous.

Et c'est moi qui ai créé Hanrahan
Et l'ai poussé dehors ivre parfois au petit jour
Du fond de quelque chaumière des alentours.
Trompé par les ruses d'un vieillard
Il trébucha, tomba, se traîna à tâtons
Et n'eut que ses genoux brisés à offrir
Et l'horrible splendeur de son désir ;
Tout cela mon esprit l'a pensé il y a vingt ans.

De braves gars tapaient la carte dans la cour d'un fortin ;
Et quand ce fut le tour de ce vieux chenapan
Il sut si bien entre ses mains ensorceler les cartes
Que toutes sauf une se changèrent
De paquet de cartes en meute de chiens
Et que lui se changea en lièvre.
Alors Hanrahan en délire se leva
Et se mit à courir avec ces chiens hurlants – vers

Ô vers je ne sais plus quoi – Cela suffit !
Il me faut évoquer un homme que ni l'amour
Ni la musique ni l'oreille coupée d'un ennemi
N'aurait pu faire sourire, car il n'avait point de répit ;
Personnage aujourd'hui tellement légendaire
Qu'il ne reste plus un seul voisin pour dire
Quand il acheva sa vie de chien :
L'ancien maître en faillite de cette demeure.

Devant cette ruine, pendant des siècles, arrivèrent
De rudes hommes d'armes, guêtrés jusqu'au genou
Et leurs souliers ferrés gravirent les marches étroites,
Et il y en a certains, parmi ces hommes d'armes,
Dont l'image conservée dans la Mémoire du Monde

Come with loud cry and panting breast
To break upon a sleeper's rest
While their great wooden dice beat on the board.

As I would question all, come all who can;
Come old, necessitous, half-mounted man;
And bring beauty's blind rambling celebrant;
The red man the juggler sent
Through God-forsaken meadows; Mrs. French,
Gifted with so fine an ear;
The man drowned in a bog's mire,
When mocking Muses chose the country wench.

Did all old men and women, rich and poor,
Who trod upon these rocks or passed this door,
Whether in public or in secret rage
As I do now against old age?
But I have found an answer in those eyes
That are impatient to be gone;
Go therefore; but leave Hanrahan,
For I need all his mighty memories.

Old lecher with a love on every wind,
Bring up out of that deep considering mind
All that you have discovered in the grave,
For it is certain that you have
Reckoned up every unforeknown, unseeing
Plunge, lured by a softening eye,
Or by a touch or a sigh,
Into the labyrinth of another's being;

Does the imagination dwell the most
Upon a woman won or woman lost?
If on the lost, admit you turned aside
From a great labyrinth out of pride,
Cowardice, some silly over-subtle thought

Revient, la bouche hurlante et le souffle haletant,
Troubler soudain le repos du dormeur,
Et leurs gros dés en bois roulent sur la table.

J'aimerais tous les questionner, vienne qui pourra ;
Vienne le vieillard ruiné, sur sa pauvre monture ;
Qu'il amène le chantre aveugle et vagabond de la beauté
Et l'homme aux cheveux roux que le sorcier envoya
Par les prairies abandonnées de Dieu ; Mme French,
Qui reçut en cadeau une si belle oreille ;
L'homme qui s'est noyé dans la vase du marais
Quand les Muses moqueuses choisirent la fille du village.

Est-ce que tous, vieux et vieilles, riches et pauvres
Qui ont passé sur ces rochers ou devant cette porte
Ont en public ou en secret pesté
Comme nous aujourd'hui contre la vieillesse ?
Mais j'ai trouvé une réponse dans ces yeux
Qui brûlent de s'en aller.
Partez donc, mais laissez Hanrahan,
Car j'ai besoin de tous ses forts souvenirs.

Vieux débauché d'amour aux quatre vents,
De cette grave et profonde réflexion
Rapporte tout ce que tu as trouvé dans la tombe
Car tu as, c'est certain, fait le compte
De tous les sauts imprévus et aveugles
Que, séduit par un regard attendrissant
Par un contact ou un soupir, on fait
Au fond du labyrinthe d'un autre que soi.

Quelle femme hante plus l'imagination,
Celle qu'on a possédée ou celle qu'on a perdue ?
Si c'est cette dernière, reconnais que tu as fui
D'un profond labyrinthe par orgueil
Couardise ou subtil raffinement de l'esprit

Or anything called conscience once;
And that if memory recur, the sun's
Under eclipse and the day blotted out.

III

It is time that I wrote my will;
I choose upstanding men
That climb the streams until
The fountain leap, and at dawn
Drop their cast at the side
Of dripping stone; I declare
They shall inherit my pride,
The pride of people that were
Bound neither to Cause nor to State,
Neither to slaves that were spat on,
Nor to the tyrants that spat,
The people of Burke and of Grattan
That gave, though free to refuse–
Pride, like that of the morn,
When the headlong light is loose,
Or that of the fabulous horn,
Or that of the sudden shower
When all streams are dry,
Or that of the hour
When the swan must fix his eye
Upon a fading gleam,
Float out upon a long
Last reach of glittering stream
And there sing his last song.
And I declare my faith:
I mock Plotinus' thought
And cry in Plato's teeth,
Death and life were not
Till man made up the whole,

Ou par ce qu'autrefois tu appelais conscience
Et que si le souvenir t'en revient, il y a
Éclipse du soleil, effacement du jour.

III

Il est temps que j'écrive mon testament ;
Je choisis des hommes droits et fiers
Qui remontent les ruisseaux jusqu'où
Jaillit la source et qui à l'aube
Jettent leur aiche contre
La pierre qui ruisselle ; je les déclare
Héritiers de mon orgueil,
L'orgueil de tous ceux que jamais
Aucune cause, aucun État n'a liés,
Libres des esclaves conspués
Libres des tyrans qui les conspuaient
Les gens de Burke et de Grattan
Qui ont donné et auraient pu refuser.
Orgueil pareil à celui du matin
Qui lâche le torrent de sa lumière
Ou à celui de la Corne fabuleuse
Ou à celui de l'averse soudaine
Sur la sécheresse des ruisseaux ;
Orgueil aussi de cette heure
Où le cygne doit fixer son regard
Sur une lueur qui se meurt,
Et s'en aller en glissant longuement
Sur le miroitement d'un dernier plan d'eau.
Et je proclame ma foi :
Je me ris de la pensée de Plotin
Et je crie à la barbe de Platon ;
La mort et la vie n'existaient point
Avant que l'homme ait tout créé
Et la terre et le ciel et tout le reste

Made lock, stock and barrel
Out of his bitter soul,
Aye, sun and moon and star, all,
And further add to that
That, being dead, we rise,
Dream and so create
Translunar Paradise.
I have prepared my peace
With learned Italian things
And the proud stones of Greece,
Poet's imaginings
And memories of love,
Memories of the words of women,
All those things whereof
Man makes a superhuman
Mirror-resembling dream.

As at the loophole there
The daws chatter and scream,
And drop twigs layer upon layer.
When they have mounted up,
The mother bird will rest
On their hollow top,
And so warm her wild nest.

I leave both faith and pride
To young upstanding men
Climbing the mountain-side,
That under bursting dawn
They may drop a fly;
Being of that metal made

De l'âpre violence de son âme
Oui, le soleil, la lune, les étoiles, tout,
Et ajoutez de plus le fait
Qu'une fois morts nous renaissons[1],
Pour rêver et par là même créer
Le Paradis Translunaire.
J'ai préparé mon repos
Avec des choses savantes d'Italie[2]
Et les glorieuses pierres de la Grèce[3]
Des rêveries de poète
Et des souvenirs d'amour,
Des souvenirs de paroles de femmes,
Toutes ces choses dont
L'homme se fait un rêve
Surhumain au reflet de miroir.

Cependant dans l'étroite ouverture
Les choucas jacassent et crient
Et posent brindille sur brindille.
Quand elles seront assez hautes
La mère viendra s'installer
Sur le sommet du trou
Et réchauffer son nid sauvage

Je laisse mon orgueil et ma foi
Aux jeunes hommes droits et fiers
Qui grimpent au flanc de la montagne
Pour y lancer leur mouche
À l'heure où crève l'aube.
J'étais fait de ce même métal

1. Cf. *La Femme* (p. 157).
2. Référence à ses voyages, à ses découvertes artistiques (Dante, Castiglione, les mosaïques de Ravenne).
3. Référence à ses visites au British Museum (cf. *Les Statues*, p. 299).

Till it was broken by
This sedentary trade.

Now shall I make my soul,
Compelling it to study
In a learned school
Till the wreck of body,
Slow decay of blood,
Testy delirium
Or dull decrepitude,
Or what worse evil come–
The death of friends, or death
Of every brilliant eye
That made a catch in the breath–
Seem but the clouds of the sky
When the horizon fades;
Or a bird's sleepy cry
Among the deepening shades.

1926

Jusqu'au jour où ce métier sédentaire
L'a brisé.

Maintenant je vais préparer mon âme,
La forcer à étudier
Dans une école savante[1]
Jusqu'au jour où le naufrage du corps
Le lent pourrissement du sang,
L'irascible délire
Ou la morne décrépitude
Ou des maux pires encore –
La mort de mes amis ou la mort
De tous les yeux brillants
Qui m'ont coupé la voix –[2]
Ne seront plus que les nuages du ciel
À l'heure où s'efface l'horizon,
Ou le cri endormi d'un oiseau
Dans l'épaisseur des ombres.

Composé Octobre 1925
Publié *in New Republic*, 29 Juin 1927

1. Cf. *Voile vers Byzance* (p. 201).
2. Cf. le dernier vers de *À la Mémoire du Commandant Robert Gregory* (p. 143).

I

Ancestral Houses

Surely among a rich man's flowering lawns,
Amid the rustle of his planted hills,
Life overflows without ambitious pains;
And rains down life until the basin spills,
And mounts more dizzy high the more it rains
As though to choose whatever shape it wills
And never stoop to a mechanical
Or servile shape, at others' beck and call.

MÉDITATIONS DU TEMPS DE LA GUERRE CIVILE [1]

I

Demeures Ancestrales

Je sais que les pelouses d'un riche gentilhomme,
Que les taillis qui bruissent au flanc de ses collines,
Débordent d'une vie généreuse et facile,
D'une vie qui ruisselle du bassin trop plein
Et rejaillit vertigineuse de son ruissellement
Comme pour tracer là-haut toute forme libre
Et ne jamais tomber dans la servitude
Des formes mécaniques au caprice d'autrui.

1. Note de Yeats au poème :
« Ces poèmes furent écrits à Thor Ballylee en 1922, pendant la guerre
civile. Avant que je les eusse terminés, les Républicains firent sauter notre
"antique pont" un jour à minuit. Ils nous interdirent de quitter la maison,
mais restèrent avec nous fort civils nous souhaitant même, avant de partir,
"Bonne nuit", ajoutant "Merci", comme si nous leur avions fait cadeau du
pont.
   Le titre du sixième poème est *Le Nid de Sansonnets à ma fenêtre*. C'est
ainsi que, dans l'ouest de l'Irlande, nous appelons cet oiseau et pendant la
guerre civile l'un d'eux fit son nid dans un trou du mur près de la fenêtre de
ma chambre.
   Dans la deuxième strophe du septième poème, on peut lire : "À mort les
meurtriers de Jacques Molay". Ce cri de vengeance justifié par le meurtre
du Grand Maître des Templiers, me semble parfaitement représenter ceux
dont toute l'action trouve sa source dans la haine et ne peut, par consé-
quent, qu'être stérile. On dit que ce cri fit son apparition dans le rituel de
certaines sociétés maçonniques du XVIIIᵉ siècle et qu'ainsi il attisa les
haines sociales.
   Je suppose que j'ai mentionné les faucons dans la quatrième strophe
parce que je possède une bague avec un faucon sur lequel est posé un

Mere dreams, mere dreams! Yet Homer had not sung
Had he not found it certain beyond dreams
That out of life's own self delight had sprung
The abounding glittering jet; though now it seems
As if some marvellous empty sea-shell flung
Out of the obscure dark of the rich streams,
And not a fountain, were the symbol which
Shadows the inherited glory of the rich.

Some violent bitter man, some powerful man
Called architect and artist in, that they,
Bitter and violent men, might rear in stone
The sweetness that all longed for night and day,
The gentleness none there had ever known;
But when the master's buried mice can play,
And maybe the great-grandson of that house,
For all its bronze and marble, 's but a mouse.

O what if gardens where the peacock strays
With delicate feet upon old terraces,
Or else all Juno from an urn displays
Before the indifferent garden deities;
O what if levelled lawns and gravelled ways
Where slippered Contemplation finds his ease

Ce ne sont là que rêves ! Pourtant Homère aurait-il pu
Chanter s'il n'avait cru plus vrai que tous ses rêves
Que c'est la vie, en s'émerveillant d'être
Qui lance cette gerbe d'eau et de lumière ?[1]
Il est vrai qu'aujourd'hui c'est plutôt une conque
Merveilleuse mais vide, rejetée de la nuit
Des eaux généreuses qui est, mieux qu'une fontaine,
Le symbole apparent de la gloire ancestrale des riches.

Un homme de violence, d'amertume, de puissance,
Fit venir l'architecte et l'artiste pour que
Ces hommes d'amertume et de violence dressent
Dans la pierre la douceur dont ils avaient rêvé,
La noblesse qu'aucun n'avait jamais connue ;
Mais quand le chat est mort, les souris vont danser,
Et l'arrière-petit-fils de cette maisonnée
Avec ses bronzes et ses marbres, n'est peut-être qu'une
    souris.

Qu'importe s'il faut donner aux jardins où le paon
Erre à pas précieux sur les terrasses anciennes,
À tout ce que Junon déverse de son urne
Devant l'indifférence des dieux de ces jardins ;
Qu'importe encore s'il faut aussi donner
Aux pelouses bien rases et aux allées sablées
Où glissent à l'aise les pas de la Contemplation

---

papillon ; le groupe symbolise la ligne droite de la logique, c'est-à-dire
d'une pensée mécanique, et la ligne brisée de l'intuition. "Car la sagesse est
un papillon et non un lugubre oiseau de proie" (1918). »
    1. Cf. Yeats dans *Essais et Introductions*.
    « L'Art nous fait toucher et goûter et entendre et voir le monde et rejette
ce que Blake appelle la forme mathématique, tout ce qui est abstrait, tout ce
qui ne vient que du cerveau, tout ce qui n'est pas une fontaine, jaillissant de
tous les espoirs, souvenirs et sensations du corps. »

And Childhood a delight for every sense,
But take our greatness with our violence?

What if the glory of escutcheoned doors,
And buildings that a haughtier age designed,
The pacing to and fro on polished floors
Amid great chambers and long galleries, lined
With famous portraits of our ancestors;
What if those things the greatest of mankind
Consider most to magnify, or to bless,
But take our greatness with our bitterness?

II

My House

An ancient bridge, and a more ancient tower,
A farmhouse that is sheltered by its wall,
An acre of stony ground,
Where the symbolic rose can break in flower,
Old ragged elms, old thorns innumerable,
The sound of the rain or sound
Of every wind that blows;
The stilted water-hen
Crossing stream again
Scared by the splashing of a dozen cows;

A winding stair, a chamber arched with stone,
A grey stone fireplace with an open hearth,
A candle and written page.

Et où s'émerveillent tous les sens de l'Enfant,
Notre grandeur avec notre violence ?

Qu'importe s'il faut donner aux glorieux blasons des
  portes,
Aux demeures qu'un siècle plus altier dessina,
Aux flâneries errantes sur les marches polies
Par les vastes salles et les longues galeries
Où s'alignent les nobles portraits de nos ancêtres ;
Qu'importe s'il faut donner à ce que les grands du
  monde
Tiennent pour la plus haute bénédiction des hommes,
Notre grandeur avec notre amertume ?

II

Ma maison

Un pont très vieux, une tour plus vieille encore,
Une ferme à l'abri de ses murs,
Un arpent de cailloux,
Où peut fleurir la rose symbolique,
De vieux ormes défaits, partout de vieilles ronces,
Le bruit de la pluie ou le bruit
Des quatre vents qui soufflent ;
La poule d'eau sur ses échasses
Qu'en pataugeant chasse
Une douzaine de vaches
Et qui retraverse l'eau[1].

Un escalier en spirale, une voûte de pierre,
Un âtre ouvert au manteau de pierre grise
Une chandelle, des mots sur une page.

1. Cf. *À la mémoire du commandant Robert Gregory* (p. 143).

Il Penseroso's Platonist toiled on
In some like chamber, shadowing forth
How the daemonic rage
Imagined everything.
Benighted travellers
From markets and from fairs
Have seen his midnight candle glimmering.

Two men have founded here. A man-at-arms
Gathered a score of horse and spent his days
In this tumultuous spot,
Where through long wars and sudden night alarms
His dwindling score and he seemed castaways
Forgetting and forgot;
And I, that after me
My bodily heirs may find,
To exalt a lonely mind,
Befitting emblems of adversity.

III

My Table

Two heavy trestles, and a board
Where Sato's gift, a changeless sword,
By pen and paper lies,
That it may moralise
My days out of their aimlessness.

C'est en des lieux semblables
Que peina le platonicien d'*Il Penseroso*
Dans un pressentiment
Du délire sacré
Où l'Esprit imagina le monde.
Les voyageurs de nuit
Retour de foire ou de marché
Ont vu luire souvent sa chandelle à minuit.[1]

Deux hommes ont fait souche ici.
Un homme d'armes et sa troupe de cavaliers
Passa ses jours en ces lieux troublés,
Connut de longues guerres, des alarmes nocturnes,
Et finit avec le reste de ses hommes
Comme à l'écart du monde, oublieux, oublié ;
Et moi qui laisserai
Aux héritiers de mon sang[2]
Les symboles parfaits de l'adversité
Où s'exaltent les âmes solitaires.

III

Ma table

Deux lourds tréteaux et une planche
Où le don de Sato, une épée immuable[3],
Près de la plume et du papier est posée,
Afin de donner à mes jours sans objet
Un guide et un exemple.

---

1. Cf. *Ego Dominus Tuus* (p. 165).
2. Anne, née le 26-2-1919 ; Michaël, né le 22-8-1921.
3. Sato (Junzo), Consul du Japon à Portland (Orégon). Alors que Yeats s'y trouvait à l'occasion d'une série de conférences aux États-Unis, il vint lui rendre visite et, grand admirateur de ses poèmes qu'il avait lus au Japon, il lui fit cadeau d'une épée, bien ancestral de sa famille.

A bit of an embroidered dress
Covers its wooden sheath.
Chaucer had not drawn breath
When it was forged. In Sato's house,
Curved like new moon, moon-luminous,
It lay five hundred years.

Yet if no change appears
No moon; only an aching heart
Conceives a changeless work of art.
Our learned men have urged
That when and where'twas forged
A marvellous accomplishment,
n painting or in pottery, went
From father unto son
And through the centuries ran
And seemed unchanging like the sword.
Soul's beauty being most adored,
Men and their business took
The soul's unchanging look;
For the most rich inheritor,
Knowing that none could pass Heaven's door
That loved inferior art,
Had such an aching heart
That he, although a country's talk
For silken clothes and stately walk,
Had waking wits; it seemed
Juno's peacock screamed.

Un morceau de robe brodée
Recouvre son fourreau de bois.
Chaucer n'était pas né
Quand on la forgea. Dans la maison de Sato
Courbe de nouvelle lune, clarté de lune,
Cinq cents ans elle resta.

Pourtant s'il ne survient aucun changement
Ne survient pas de lune ; ce n'est que dans un cœur blessé
Que peut se concevoir un art parfait[1].
Nos érudits affirment
Qu'au temps et au pays où elle fut forgée
Une œuvre merveilleuse
De peintre ou de potier
De père en fils se transmit
À travers siècles apparemment
Aussi immuable que cette épée.
Parce qu'ils adoraient de l'âme la beauté
Les hommes et leurs œuvres
Prirent la couleur
Immuable de l'âme ;
Car le plus riche héritier
Sachant que nul ne passe les portes du Ciel
S'il n'aime de l'art que l'inférieur
Fut si blessé au cœur
Que son esprit, bien que chez lui on bavardât
Sur sa noble démarche et ses habits de soie,
Sortit de sa torpeur ; en entendit
Comme le cri de l'oiseau de Junon[2].

1. Cf. *A vision* : « Les phases de la lune ».
2. Symbole de la fin d'une civilisation (cf. *A Vision*, p. 268).

IV

My Descendants

Having inherited a vigorous mind
From my old fathers, I must nourish dreams
And leave a woman and a man behind
As vigorous of mind, and yet it seems
Life scarce can cast a fragrance on the wind,
Scarce spread a glory to the morning beams,
But the torn petals strew the garden plot;
And there's but common greenness after that.

And what if my descendants lose the flower
Through natural declension of the soul,
Through too much business with the passing hour,
Through too much play, or marriage with a fool?
May this laborious stair and this stark tower
Become a roofless ruin that the owl
May build in the cracked masonry and cry
Her desolation to the desolate sky.

The Primum Mobile that fashioned us
Has made the very owls in circles move;
And I, that count myself most prosperous,
Seeing that love and friendship are enough,
For an old neighbour's friendship chose the house
And decked and altered it for a girl's love,
And know whatever flourish and decline
These stones remain their monument and mine.

IV

Mes descendants

Ayant hérité de mes pères un esprit fort,
Je dois chérir des rêves et laisser derrière moi
Une femme et un homme d'esprit tout aussi fort ;
  Il me semble pourtant que la vie
  Ne peut guère jeter au vent des senteurs,
  Ou étaler sa gloire aux rayons du matin,
  Sans joncher de ses pétales morts le jardin ;
  Que reste-t-il après, sinon de l'herbe ?

Et si mes descendants allaient perdre cette fleur
Par dégénérescence naturelle de l'âme
Par intérêt trop grand porté à l'heure brève
Par légèreté ou mariage avec un sot ;
  Que ces marches de pierre, cette tour de pureté
  Ne soient plus qu'une ruine sans toit où la chouette
  Se niche dans les trous du mur pour crier
  Sa désolation dans un ciel désolé.

Le *Primum Mobile*[1] qui nous a façonnés
A fait aussi voler les hibous en un cercle ;
Et moi qui me tiens pour un être prospère
Comblé par l'amour et l'amitié
  J'ai choisi cette tour pour une amie voisine
  L'ai aménagée et fleurie pour l'amour d'une femme
  Et je sais, que tout fleurisse ou meure,
  Que ces pierres resteront mon œuvre et la leur.

---

1. Dans le système de Ptolémée, sphère la plus extérieure qui entraîne toutes les autres sphères des étoiles et des planètes en tournant d'Est en Ouest en 24 heures.

The Road at My Door

An affable Irregular,
A heavily-built Falstaffian man,
Comes cracking jokes of civil war
As though to die by gunshot were
The finest play under the sun.

A brown Lieutenant and his men,
Half dressed in national uniform,
Stand at my door, and I complain
Of the foul weather, hail and rain,
A pear-tree broken by the storm.

I count those feathered balls of soot
The moor-hen guides upon the stream,
To silence the envy in my thought;
And turn towards my chamber, caught
In the cold snows of a dream.

The Stare's Nest by My Window

The bees build in the crevices
Of loosening masonry, and there
The mother birds bring grubs and flies.
My wall is loosening; honey-bees,
Come build in the empty house of the stare.

V

La route devant ma porte

Un milicien affable
Genre de Falstaff corpulent,
Plaisante sur la guerre civile
Comme si mourir d'une balle était
Le plus bel amusement du monde.

Un lieutenant bronzé et ses hommes
À moitié revêtus de l'uniforme
Sont à ma porte et je déplore
Le mauvais temps, la pluie, la grêle,
Un poirier que l'orage a cassé.

Je compte ces boules de plumes noires
Que guide sur le ruisseau la poule d'eau
Pour étouffer l'envie de mes pensées,
Puis je rentre chez moi, pris
Dans les neiges glacées d'un rêve.

VI

Le nid de sansonnets à ma fenêtre

Les abeilles bâtissent dans les crevasses
Entre les pierres qui se délitent et c'est là
Que les oiseaux apportent leurs vers et leurs mouches ;
Mon mur se délite ; abeilles à miel
Venez bâtir dans la maison abandonnée du sansonnet.

We are closed in, and the key is turned
On our uncertainty; somewhere
A man is killed, or a house burned,
Yet no clear fact to be discerned:
Come build in the empty house of the stare.

A barricade of stone or of wood;
Some fourteen days of civil war;
Last night they trundled down the road
That dead young soldier in his blood:
Come build in the empty house of the stare.

We had fed the heart on fantasies,
The heart's grown brutal from the fare;
More substance in our enmities
Than in our love; O honey-bees,
Come build in the empty house of the stare.

VII

I see Phantoms of Hatred and of the Heart's Fullness and of the Coming Emptiness

I climb to the tower-top and lean upon broken stone,
A mist that is like blown snow is sweeping over all,
Valley, river, and elms, under the light of a moon
That seems unlike itself, that seems unchangeable,
A glittering sword out of the east. A puff of wind
And those white glimmering fragments of the mist
  sweep by.

Nous avons fermé la porte, tourné la clef
Sur notre incertitude[1] : quelque part
Un homme est tué, une maison brûlée
Rien pourtant de précis, aucun fait :
Venez bâtir dans la maison abandonnée du sansonnet.

Une barricade de pierres et de bois ;
Une quinzaine de jours de guerre civile ;
Hier soir ils ont traîné dans son sang
Mort sur la route ce jeune soldat :
Venez bâtir dans la maison abandonnée du sansonnet.

Nous avions nourri notre cœur de visions,
De cette chère le cœur a fait de la violence ;
Plus solide est notre haine
Que notre amour : ô, abeilles à miel,
Venez bâtir dans la maison abandonnée du sansonnet.

VII

Je vois des Fantômes de Haine et d'un Cœur Plein
et d'un Vide qui s'approche

Tout en haut de la tour je m'appuie sur la pierre brisée,
Comme une poudre de neige le brouillard traîne sur
    toutes choses,
Sur la vallée, la rivière, les ormes, dans la lumière d'une
    lune
Qui n'est plus la lune, qui semble immuable,
L'éclat d'une épée jaillie de l'Orient ; une bouffée de
    vent
Et s'en vont ces lambeaux pailletés de brouillard blanc,

---

1. Cf. *Incertitude* (p. 269).

Frenzies bewilder, reveries perturb the mind;
Monstrous familiar images swim to the mind's eye.

'Vengeance upon the murderers,' the cry goes up,
'Vengeance for Jacques Molay.' In cloud-pale rags, or
    in lace,
The rage-driven, rage-tormented, and rage hungry troop,
Trooper belabouring trooper, biting at arm or at face,
Plunges towards nothing, arms and fingers spreading
    wide
For the embrace of nothing; and I, my wits astray
Because of all that senseless tumult, all but cried
For vengeance on the murderers of Jacques Molay.

Their legs long, delicate and slender, aquamarine their
    eyes,
Magical unicorns bear ladies on their backs.
The ladies close their musing eyes. No prophecies,
Remembered out of Babylonian almanacs,
Have closed the ladies' eyes, their minds are but a pool
Where even longing drowns under its own excess;
Nothing but stillness can remain when hearts are full
Of their own sweetness, bodies of their loveliness.

The cloud-pale unicorns, the eyes of aquamarine,
The quivering half-closed eyelids, the rags of cloud or
    of lace,
Or eyes that rage has brightened, arms it has made lean,
Give place to an indifferent multitude, give place
To brazen hawks. Nor self-delighting reverie,
Nor hate of what's to come, nor pity for what's gone,
Nothing but grip of claw, and the eye's complacency,
The innumerable clanging wings that have put out the
    moon.

Les délires affolent, les rêveries troublent l'esprit ;
Des images, monstres familiers, flottent au regard de
    l'esprit.

« À mort les meurtriers », crie-t-on de toutes parts
« Vengez Jacques Molay ». Vêtue de haillons brumeux
    ou de dentelle
La meute enragée, tourmentée de rage, affamée de rage,
Soudard contre soudard, gueule prête à mordre
Plongent vers le néant, bras et mains grand ouverts
Pour étreindre le néant et moi l'esprit égaré
Par tout ce tumulte insensé, j'ai bien failli crier
« À mort les meurtriers de Jacques Molay ».

Je vois des dames chevaucher des licornes magiques
Aux pattes longues, délicates, élancées, aux yeux d'ai-
    guemarine.
Les dames ferment leurs yeux rêveurs. Aucune prophétie,
Ressouvenir des almanachs de Babylone,
N'a fermé leurs yeux ; leur esprit n'est plus qu'une eau
    étale
Où même le désir se noie de ses propres excès ;
Il n'y a plus que paix quand les cœurs sont gorgés
De leur propre douceur, les corps de leur beauté.

Les licornes brumeuses, les yeux d'aiguemarine
Les paupières mi-closes qui tremblent, les haillons de
    brume ou de dentelle,
Les yeux étincelants de rage, les bras amaigris de rage,
Cèdent la place à une foule indifférente, cèdent la place
Aux faucons d'airain. Plus de délicieuses rêveries,
Plus de haine de ce qui va venir, de pitié pour ce qui
    n'est plus,
Plus rien que l'étau de leurs serres, leur regard satisfait,
Le tintamarre des milliers d'ailes qui ont effacé la lune.

I turn away and shut the door, and on the stair
Wonder how many times I could have proved my worth
In something that all others understand or share;
But O! ambitious heart, had such a proof drawn forth
A company of friends, a conscience set at ease,
It had but made us pine the more. The abstract joy,
The half-read wisdom of daemonic images,
Suffice the ageing man as once the growing boy.

1923

Je rentre et ferme la porte et me demande en montant
　　l'escalier
Combien de fois j'aurais pu montrer ce que je valais [1]
Dans une action que tous approuvent ou entreprennent,
Mais, ô ! cœur ambitieux, aurions-nous pu ainsi
Attirer des amis, avoir bonne conscience,
Nous n'en aurions que plus souffert. La joie abstraite
La sagesse entrevue des images magiques
Suffisent au vieillard d'aujourd'hui comme à l'adoles-
　　cent d'hier.

Composé 1922
Publié 1923

---

1. Cf. *Vers d'Introduction* (Responsabilités, 1914, p. 97).

LEDA AND THE SWAN

A sudden blow: the great wings beating still
Above the staggering girl, her thighs caressed
By the dark webs, her nape caught in his bill,
He holds her helpless breast upon his breast.

How can those terrified vague fingers push
The feathered glory from her loosening thighs?
And how can body, laid in that white rush,
But feel the strange heart beating where it lies?

LEDA ET LE CYGNE [1]

Brutal assaut : les grandes ailes encore frémissantes
Sur la vierge qui chancelle, les cuisses caressées
Par les sombres palmes, le cou saisi par son bec,
Il tient sur sa poitrine sa poitrine sans défense.

Comment ces doigts terrifiés et perdus [2] pourraient-ils
Repousser de ses cuisses qui s'écartent cette gloire
    emplumée ?
Et comment pourrait le corps, couché dans ce flot de
    blancheur,
Ne pas sentir battre, sur sa couche, ce cœur étranger ?

1. Note de Yeats au poème :
« J'ai écrit *Leda et le Cygne* parce que le rédacteur en chef d'une revue politique m'avait demandé un poème. Je me suis dit : "Après le mouvement individualiste et démagogique fondé par Hobbes et popularisé par les Encyclopédistes de la Révolution française, notre sol est tellement épuisé qu'une telle récolte ne pourra y pousser avant des siècles". Alors je pensai : "Rien d'autre aujourd'hui n'est possible, qu'un mouvement qui vienne d'En-Haut et qui soit précédé par une annonciation violente". C'est ainsi que la métaphore de Leda et du Cygne vint progressivement hanter mon imagination, et que je me mis à écrire le poème ; mais peu à peu l'oiseau et la femme envahirent le texte au point d'en chasser toute pensée politique. »

2. Cf. le poème : *La Mère de Dieu*.
« Des ailes qui battent dans la chambre ;
De toutes les terreurs la terreur de porter
Les Cieux en mon sein. »

A shudder in the loins engenders there
The broken wall, the burning roof and tower
And Agamemnon dead.
                              Being so caught up,
So mastered by the brute blood of the air,
Did she put on his knowledge with his power
Before the indifferent beak could let her drop?

1923

Un frisson au creux des reins y dépose en germe[1]
La chute des murailles, les flammes de la tour
Et la mort d'Agamemnon[2].
                              Ainsi prisonnière,
Ainsi maîtrisée par ce sang brutal venu des airs,
A-t-elle reçu de lui avec sa puissance son savoir
Avant d'être lâchée par le bec indifférent ?

1923

1. Cf. *La Femme* (p. 157).
2. Les œufs de Leda donnèrent naissance à l'Amour et à la Guerre, à
Castor et Pollux, à Hélène et Clytemnestre.

AMONG SCHOOL CHILDREN

I

I walk through the long schoolroom questioning;
A kind old nun in a white hood replies;
The children learn to cipher and to sing,
To study reading-books and histories,
To cut and sew, be neat in everything
In the best modern way–the children's eyes
In momentary wonder stare upon
A sixty-year-old smiling public man.

II

I dream of a Ledaean body, bent
Above a sinking fire, a tale that she
Told of a harsh reproof, or trivial event
That changed some childish day to tragedy–
Told, and it seemed that our two natures blent
Into a sphere from youthful sympathy,
Or else, to alter Plato's parable
Into the yolk and white of the one shell.

PARMI LES ÉCOLIÈRES

I

Je traverse la longue classe et pose des questions ;
Une nonne âgée en capuche blanche gentiment me
    répond ;
On apprend aux enfants à compter, à chanter,
À lire des récits, à étudier l'histoire,
À couper et à coudre, à être propre en tout
Aussi bien qu'aujourd'hui on le peut ; les enfants
Un moment surpris regardent avec étonnement
Un homme public[1] de soixante ans qui leur sourit.

II

Je rêve d'un corps de Léda[2], penché
Sur un feu qui se meurt, d'une histoire
De brutale réprimande, d'un incident banal
Qui d'une journée d'enfant fit une tragédie,
Histoire qu'elle me conta et fit de nos deux êtres
Dans un élan de jeunesse comme une seule sphère
Ou, pour changer la parabole de Platon,
Comme le blanc et le jaune d'une même coquille[3].

---

1. Visite que fit Yeats, alors sénateur et Prix Nobel de littérature, à St Otteran's School, Waterford, en février 1926.
2. Maud Gonne.
3. Allusion au mythe d'Aristophane dans *Le Banquet* de Platon.

III

And thinking of that fit of grief or rage
I look upon one child or t'other there
And wonder if she stood so at that age—
For even daughters of the swan can share
Something of every paddler's heritage—
And had that colour upon cheek or hair
And thereupon my heart is driven wild:
She stands before me as a living child.

IV

Her present image floats into the mind—
Did Quattrocento finger fashion it
Hollow of cheek as though it drank the wind
And took a mess of shadows for its meat?
And I though never of Ledaean kind
Had pretty plumage once—enough of that,
Better to smile on all that smile, and show
There is a comfortable kind of old scarecrow.

V

What youthful mother, a shape upon her lap
Honey of generation had betrayed,
And that must sleep, shriek, struggle to escape
As recollection or the drug decide,
Would think her son, did she but see that shape

III

Et, pensant à cet accès de chagrin ou de rage,
Je regarde cette enfant ou cette autre là-bas
Et me demande si elle leur ressemblait à cet âge ;
(Car même les filles du cygne gardent parfois
En elles certains caractères de l'oie)
Et si ses cheveux ou ses joues avaient cette couleur !
Alors en mon cœur soudain c'est la chamade :
La voici devant moi redevenue enfant.

IV

Son image aujourd'hui vient hanter mon esprit ;
Est-ce ainsi que l'a faite le pinceau de Vinci[1],
Les joues creusées de n'aspirer que du vent
Et de ne vivre que d'un plat d'ombres ?
Moi aussi, sans être de la race des cygnes[2]
J'avais autrefois beau plumage – oublions cela
Et sourions plutôt à tout ce qui sourit :
Qu'un vieil épouvantail soit aussi un ami[3].

V

Quelle mère encore jeune, sur les genoux une forme
Trahie par le miel de l'incarnation
Et qui doit dormir, hurler, se battre pour s'échapper
Selon la loi du souvenir ou de cette drogue,
Croirait voir en son fils, si elle imaginait cette forme

1. Autre version du poème : *Da Vinci finger*.
2. Yeats fut longtemps préoccupé de son ascendance et se chercha des ancêtres dans la noble famille des Ormonde.
3. Cf. semblable référence à son corps vieillissant dans le début de *La Tour* (p. 207).

With sixty or more winters on its head,
A compensation for the pang of his birth,
Or the uncertainty of his setting forth?

VI

Plato thought nature but a spume that plays
Upon a ghostly paradigm of things;
Solider Aristotle played the taws
Upon the bottom of a king of kings;
World-famous golden-thighed Pythagoras
Fingered upon a fiddle-stick or strings
What a star sang and careless Muses heard:
Old clothes upon old sticks to scare a bird.

VII

Both nuns and mothers worship images,
But those the candles light are not as those
That animate a mother's reveries,
But keep a marble or a bronze repose.
And yet they too break hearts—O Presences
That passion, piety or affection knows,

Chargée du poids de quelques soixante hivers,
Une compensation pour les affres de sa naissance
Ou l'aventure de son départ dans le monde ?

VI

Platon ne voyait dans la nature qu'une écume
Qui joue sur le paradigme d'un monde fantomatique ;
Aristote plus terre-à-terre jouait des verges
Sur le derrière du roi des rois[1].
Pythagore à la cuisse d'or[2] mondialement connue
Gratta sur un archet ou sur des cordes
Le chant des étoiles aux Muses insouciantes :
Des hardes sur bouts de bois à faire peur aux oiseaux[3].

VII

Les nonnes comme les mères adorent des images
Mais celles qu'éclairent les cierges ne sont pas
Celles qui meublent les rêveries d'une mère ;
Elles gardent une sérénité de bronze ou de marbre.
Pourtant elles aussi brisent les cœurs : ô, Présences
Qu'habitent la passion, la piété ou l'amour

---

1. Aristote avait été précepteur d'Alexandre.
2. Nombreuses références dans les textes anciens à la cuisse d'or de Pythagore :
– Cf. Diogène Laërte, VIII, « la légende dit aussi qu'on lui avait vu un jour une cuisse découverte et qu'elle était d'or ».
– Cf. aussi Jamblique, *De vita Pithagorica liber* (traduction en anglais par Thomas Taylor) : « Il montra sa cuisse d'or à Abacis l'hyperboréen, qui voyait en lui l'Apollon des hyperboréens. »
3. Dans une lettre à Mrs Shakespeare, en commentaire de ce vers, Yeats écrit : « Cela veut dire que même les hommes les plus grands ne sont plus que des hiboux, des épouvantails à l'heure où ils deviennent célèbres. »

And that all heavenly glory symbolise–
O self-born mockers of man's enterprise;

VIII

Labour is blossoming or dancing where
The body is not bruised to pleasure soul,
Nor beauty born out of its own despair,
Nor blear-eyed wisdom out of midnight oil.
O chestnut-tree, great-rooted blossomer,
Are you the leaf, the blossom or the bole?
O body swayed to music, O brightening glance,
How can we know the dancer from the dance?

Et qui symbolisent toute gloire céleste ;
Ô rieurs éternels de l'entreprise humaine.

VIII

L'œuvre s'épanouit ou bien danse quand
Le corps n'est pas meurtri pour faire plaisir à l'âme,
Quand la beauté ne naît pas de son propre désespoir,
Ni la sagesse myope, des veilles laborieuses.
Ô châtaignier, porte-fleurs aux puissantes racines
Es-tu la feuille, la fleur ou bien le tronc ?
Ô corps balancé en musique, ô regard de lumière
Comment donc séparer le danseur de la danse [1] ?

Composé 1916-1926
Publié Août 1927 dans *The Dial*

1. Kathleen Raine dans son étude sur l'influence de Kabir sur Yeats (q. v.), remarque que cette strophe illustre le symbole indien de l'Arbre et du Danseur et elle cite Kabir :

« L'être est dans Brahma et Brahma est dans l'être ;
Ils sont à ja l' mais distincts et pourtant à jamais unis.
Il est lui-même arbre, la graine et la forme
Il est lui-même la fleur, le fruit et l'ombre
Il est lui-même le soleil, la lumière et le monde éclairé. »

Les deux symboles, l'Arbre et le Danseur, sont des symboles unificateurs.
La danse est le mouvement universel qui anime toute chose.

« Les collines et la mer et la terre dansent. Le monde des hommes danse dans le rire et les larmes. »

Kabir.

Ce mythe de l'unité première est d'origine hindoue (cf. Les *Upanishads* que Yeats avait aidé son ami Shri Purohit Swami à traduire en anglais et qu'il tenait pour un des plus grands livres de l'humanité).

L'ESCALIER EN SPIRALE

*

THE WINDING STAIR
AND OTHER POEMS

(1933)

IN MEMORY OF EVA GORE-BOOTH
AND CON MARKIEWICZ

The light of evening, Lissadell,
Great windows open to the south,
Two girls in silk kimonos, both
Beautiful, one a gazelle
But a raving autumn shears
Blossom from the summer's wreath;
The older is condemned to death,
Pardoned, drags out lonely years
Conspiring among the ignorant.
I know not what the younger dreams—
Some vague Utopia—and she seems,
When withered old and skeleton-gaunt,
An image of such politics.
Many a time I think to seek
One or the other out and speak
Of that old Georgian mansion, mix
Pictures of the mind, recall
That table and the talk of youth,
Two girls in silk kimonos, both
Beautiful, one a gazelle.

À LA MÉMOIRE D'EVA GORE-BOOTH
ET DE CON MARKIEWICZ

Lumière du soir à Lissadell[1]
Grandes baies ouvertes au sud
Deux jeunes filles en kimono de soie
Belles toutes deux ; l'une est une gazelle[2].
Mais la fureur de l'automne coupe
Les fleurs, couronne de l'été ;
L'aînée est condamnée à mort[3] ;
Graciée, elle traîne des jours solitaires
À conspirer parmi les ignorants.
Je ne sais à quoi rêve la plus jeune –
À quelque vague utopie – et l'on dirait
Ainsi flétrie, vieille et décharnée,
L'image même de cette politique.
J'ai bien souvent envie d'aller
Les rechercher l'une ou l'autre pour parler
De ce vieux manoir géorgien et pour
Mêler nos images du passé, pour
Retrouver notre table, nos propos de jeunesse ;
Deux jeunes filles en kimono de soie,
Belles toutes deux ; l'une est une gazelle.

1. Maison des Gore-Booth bâtie près de Sligo en 1832. Visites de
Yeats pendant l'hiver 1894-1895.
2. Eva Gore-Booth, poète, sufragette, morte en 1926.
3. Constance Gore-Booth-Markiewicz. Participa à la révolte de Pâques
1916. Morte en 1927.

Dear shadows, now you know it all,
All the folly of a fight
With a common wrong or right.
The innocent and the beautiful
Have no enemy but time;
Arise and bid me strike a match
And strike another till time catch;
Should the conflagration climb,
Run till all the sages know
We the great gazebo built,
They convicted us of guilt;
Bid me strike a match and blow.

October, 1927

Ombres chères, maintenant vous savez
Tout, toute la folie d'un combat
Pour le bien ou le mal du vulgaire.
Ce qui est beau et innocent
N'a qu'un ennemi : le temps ;
Levez-vous, dites-moi de frapper l'étincelle,
Une autre encore, que le temps prenne feu ;
Et si l'incendie vient à s'enfler,
Courez dire à tous les sages
Que nous avions construit la grande tour de verre
Et qu'ils nous ont convaincu de crime ;
Dites-moi d'allumer et d'attiser le feu.

Composé Octobre 1927

COOLE PARK AND BALLYLEE, 1931

Under my window-ledge the waters race,
Otters below and moor-hens on the top,
Run for a mile undimmed in Heaven's face
Then darkening through 'dark' Raftery's 'cellar' drop,
Run underground, rise in a rocky place
In Cook demesne, and there to finish up
Spread to a lake and drop into a hole.
What's water but the generated soul?

Upon the border of that lake's wood
Now all dry sticks under a wintry sun,
And in a copse of beeches there I stood,
For Nature's pulled her tragic buskin on
And all the rant's a mirror of my mood:
At sudden thunder of the mounting swan
I turned about and looked where branches break
The glittering reaches of the flooded lake.

Another emblem there! That stormy white
But seems a concentration of the sky;
And, like the soul, it sails into the sight
And in the morning's gone, no man knows why;
And is so lovely that it sets to right

COOLE PARK ET BALLYLEE, 1931

En bas sous ma fenêtre courent les eaux,
Des loutres en leur sein, dessus des poules d'eau,
Puis s'en vont pendant un mille claires au visage du ciel
Avant de tomber dans la « cave noire » de Raftery,
Et courir, sombres, sous la terre pour surgir dans les rocs
Du domaine de Coole et là s'y arrêter
Étalées en un lac avant de disparaître.
L'eau est-elle autre chose que l'âme devenue chair ?

Sur les rives de ce lac est un bois
Aujourd'hui branches sèches sous un soleil d'hiver,
Et je m'y suis trouvé dans un taillis de hêtres ;
La nature a chaussé son cothurne tragique
Et ses déclamations reflètent mon humeur :
Soudain dans un tonnerre jaillit le cygne ;
Je l'ai suivi des yeux vers où les branches brisent
Les lointains miroitants des eaux du lac en crue.

Voilà un autre emblème ! Cette blancheur d'orage
Semble avoir concentré la lumière du ciel ;
Et, comme l'âme d'un coup d'aile elle surgit à nos yeux
Et le matin n'est plus, pourquoi on ne sait pas ; [1]
Et c'est chose si belle qu'elle peut recréer

---

1. Cf. *Les Cygnes sauvages de Coole* (p. 139).

What knowledge or its lack had set awry,
So arrogantly pure, a child might think
It can be murdered with a spot of ink.

Sound of a stick upon the floor, a sound
From somebody that toils from chair to chair;
Beloved books that famous hands have bound,
Old marble heads, old pictures everywhere;
Great rooms where travelled men and children found
Content or joy; a last inheritor
Where none has reigned that lacked a name and fame
Or out of folly into folly came.

A spot whereon the founders lived and died
Seemed once more dear than life; ancestral trees,
Or gardens rich in memory glorified
Marriages, alliances and families,
And every bride's ambition satisfied.
Where fashion or mere fantasy decrees
We shift about—all that great glory spent—
Like some poor Arab tribesman and his tent.

We were the last romantics—chose for theme
Traditional sanctity and loveliness;
Whatever's written in what poets name
The book of the people; whatever most can bless
The mind of man or elevate a rhyme;
But all is changed, that high horse riderless,
Though mounted in that saddle Homer rode
Where the swan drifts upon a darkening flood.

L'ordre brisé par le savoir ou l'ignorance,
Et si pure dans son arrogance que pour un enfant
On pourrait la tuer d'une tache d'encre.

Un bruit de canne sur le plancher, bruit
D'un être qui peine pour se déplacer ;
Livres chéris que des mains célèbres ont reliés,
D'anciens bustes de marbre, partout d'anciens tableaux :
Grandes salles[1] où, retour de voyage, père et fils
Ont connu le repos ou la joie ; dernière héritière
En ce lieu où nul ne régna qui n'eût gloire ou renom
Ou ne sautât d'une folie dans une autre folie.

Un lieu où vivaient et mouraient ses fondateurs
Semblait jadis plus précieux que la vie ; des arbres
Vénérables, des jardins riches de souvenirs
Apportaient aux mariages, aux alliances, aux familles
Leur gloire et comblaient l'ambition des épousées.
Quand la mode l'emporte ou la simple fantaisie
Nous partons en errance, toute cette gloire perdue,
Comme un pauvre nomade avec sa tente[2].

Nous fûmes les derniers romantiques – notre sujet
Fut la beauté et la sainteté traditionnelles ;
Tout ce qui est écrit dans ce que les poètes
Appellent le livre du peuple ; tout ce qui peut combler
L'esprit de l'homme ou exalter la poésie ;
Mais tout cela n'est plus, ce noble cheval[3] sans cavalier,
Bien que sur cette selle Homère ait chevauché,
Où s'éloigne le cygne sur un flot assombri.

Composé Février 1931
Publié 1932

1. Cf. description du manoir de Coole dans *Autobiographie* (p. 235).
2. Cf. *Ego Dominus Tuus* (p. 165).
3. Pégase.

BYZANTIUM

The unpurged images of day recede;
The Emperor's drunken soldiery are abed;
Night resonance recedes, night-walkers' song
After great cathedral gong;
A starlit or a moonlit dome disdains
All that man is,
All mere complexities,
The fury and the mire of human veins.

Before me floats an image, man or shade,
Shade more than man, more image than a shade;
For Hades' bobbin bound in mummy-cloth
May unwind the winding path;
A mouth that has no moisture and no breath

BYZANCE [1]

Les images impures du jour s'éloignent ;
La soldatesque ivre de l'Empereur dort ;
Les échos de la nuit s'éloignent, le chant des noctambules,
Après l'énorme gong de la cathédrale ;
Une coupole [2] au clair de lune, au clair d'étoiles dédaigne
Tout ce qui est l'homme,
Tout ce qui n'est qu'enchevêtrement,
Fureur et fange des veines de l'homme.

Devant moi flotte une image, homme ou ombre,
Ombre plus qu'homme, image plus qu'ombre ;
Car sur la bobine d'Hadès, bandée de bandelettes
Peut se dérouler le rouleau du chemin ;
Une bouche desséchée et qui n'a plus de souffle

---

1. Cf. Journal de Yeats, 1930.
« Sujet du poème : Mort d'un ami… Décrire Byzance comme elle est dans le système vers la fin du premier millénaire chrétien. Momie ambulante. Flammes au coin des rues où l'âme est purifiée, oiseaux en or martelé qui chantent dans les arbres d'or, dans le port (dauphins) offrant leur échine aux morts gémissants pour les emporter au Paradis. »
À propos de Byzance, voir les notes au poème *Voile vers Byzance* (p. 201).
Sources possibles :
L'Âge de Justinien et Théodore, par W.G. Holmes (1912) ; *Apothéose et Après-Vie*, par Mrs A. Strong.
2. Ste Sophie.

Breathless mouths may summon;
I hail the superhuman;
I call it death-in-life and life-in-death.

Miracle, bird or golden handiwork,
More miracle than bird or handiwork,
Planted on the star-lit golden bough,
Can like the cocks of Hades crow,
Or, by the moon embittered, scorn aloud
In glory of changeless metal
Common bird or petal
And all complexities of mire or blood.

At midnight on the Emperor's pavement flit
Flames that no faggot feeds, nor steel has lit,
Nor storm disturbs, flames begotten of flame,
Where blood-begotten spirits come
And all complexities of fury leave,
Dying into a dance,
An agony of trance,
An agony of flame that cannot singe a sleeve.

Astraddle on the dolphin's mire and blood,
Spirit after spirit! The smithies break the flood,
The golden smithies of the Emperor!
Marbles of the dancing floor
Break bitter furies of complexity,
Those images that yet
Fresh images beget,
That dolphin-torn, that gong-tormented sea.

1930

À des bouches sans souffle peut redonner vie ;
J'acclame le surhumain ;
Je l'appelle Mort-dans-Vie et Vie-dans-Mort.

Miracle, oiseau d'or, ouvrage de l'orfèvre [1],
Miracle plus qu'oiseau ou bien qu'ouvrage,
Piqué sur le rameau d'or au clair d'étoiles,
Peut chanter comme les coqs d'Hadès,
Ou par la lune ulcéré, railler tout haut
À la gloire de l'incorruptible métal
L'oiseau ou le pétale de la terre
Et tous les enchevêtrements de fange et de sang.

À minuit sur les dalles du Palais Impérial courent
Des flammes sans la chair d'un fagot ni le feu de l'acier,
Ni le tourment de la tempête, flammes nées de la flamme
Où viennent les esprits nés de sang
Libérés de la fureur des enchevêtrements,
Et s'abîment dans une danse,
Extase d'une transe,
Extase d'une flamme qui flambe sans brûler.

Chevauchant les dauphins [2] de fange et de sang,
Esprits, l'un après l'autre ! Les forges brisent ce flot,
Les forges d'or de l'Empereur !
Les dalles de marbre de cette salle de danse
Brisent les furies ulcérées des enchevêtrements,
Les images qui toujours
Engendrent des images nouvelles,
La mer déchirée de dauphins, la mer tourmentée de gongs.

1. Cf. *Voile vers Byzance*.
2. Cf. note 1, p. 265.

VACILLATION

I

Between extremities
Man runs his course;
A brand, ot flaming breath,
Comes to destroy
All those antinomies
Of day and night;
The body calls it death,
The heart remorse.
But if these be right
What is joy?

II

A tree there is that from its topmost bough
Is half all glittering flame and half all green
Abounding foliage moistened with the dew;
And half is half and yet is all the scene;
And half and half consume what they renew,
And he that Attis' image hangs between

INCERTITUDE

I

Entre les extrêmes[1]
L'homme poursuit son cours ;
Un brandon, le souffle d'une flamme
Vient détruire
Toutes ces antinomies
Du jour et de la nuit ;
Pour le corps c'est la mort,
Pour le cœur le remords.
Mais si cela est vrai,
La joie, qu'est-ce que c'est ?

II

Il est un arbre[2] qui dès sa plus haute branche
Est mi-brasillement de flammes et mi-verdure
D'un feuillage touffu tout mouillé de rosée ;
Chaque moitié n'est qu'une et cependant le tout ;
Et toutes deux consument ce qu'elles recréent,
Et celui qui suspend le masque d'Attis[3]

1. Cf. Théorie blakienne des contraires : « sans contraires, il n'y a pas de progrès » *(Mariage du Ciel et de l'Enfer)*.
2. Symbole de l'Arbre Mystique, cf. *Les Deux Arbres* (poème non traduit) *(Collected Poems*, p. 54).
3. Cf. *Le Rameau d'Or* (J.G. Frazer q.v.), Attis Dieu de la Végétation (McMillan, p. 400 *et passim)*.

That staring fury and the blind lush leaf
May know not what he knows, but knows not grief.

III

Get all the gold and silver that you can,
Satisfy ambition, animate
The trivial days and ram them with the sun,
And yet upon these maxims meditate:
All women dote upon an idle man
Although their children need a rich estate;
No man has ever lived that had enough
Of children's gratitude or woman's love.
No longer in Lethean foliage caught
Begin the preparation for your death
And from the fortieth winter by that thought
Test every work of intellect or faith,
And everything that your own hands have wrought,
And call those works extravagance of breath
That are not suited for such men as come
Proud, open-eyed and laughing to the tomb.

IV

My fiftieth year had come and gone,
I sat, a solitary man,
In a crowded London shop,
An open book and empty cup
On the marble table-top.

Entre cette flamboyante fureur et l'aveugle luxuriance
   des feuilles
Peut-être ne sait pas ce qu'il connaît, mais ne connaît
   pas la douleur.

III

Amasse tout l'argent et tout l'or que tu peux,
Satisfais l'ambition, donne une âme
Au cours trivial des jours, heurte-les de soleil
Mais n'oublie pas de méditer sur ces maximes :
Toute femme raffole d'un homme désœuvré,
Même s'il faut à ses enfants de riches terres ;
Aucun homme n'a jamais été rassasié
De la gratitude d'un enfant ou de l'amour d'une femme.
À peine délivré des feuillages du Léthé,
Commence les préparatifs de ta mort,
Et dès quarante ans à l'aune de cette pensée
Juge toutes les œuvres de l'intellect ou de la foi
Et tout ce que tes mains ont façonné
Et tiens pour débauche d'énergie toutes œuvres
Qui ne sont pas faites pour cette race d'hommes
Fiers, lucides et rieurs jusqu'au seuil de la tombe.

IV

Mes cinquante ans venus, passés[1],
J'étais assis, solitaire,
Parmi la foule d'un magasin de Londres,
Livre ouvert, tasse vide
Sur le marbre d'une table.

---

1. Yeats rappelle cette expérience dans *Mythologies* et *Per Amica Silentiae Lunae* (cité Par J. Unterecker, q.v., p. 222).

While on the shop and street I gazed
My body of a sudden blazed;
And twenty minutes more or less
It seemed, so great my happiness,
That I was blessèd and could bless.

V

Although the summer sunlight gild
Cloudy leafage of the sky,
Or wintry moonlight sink the field
In storm-scattered intricacy,
I cannot look thereon,
Responsibility so weighs me down.

Things said or done long years ago,
Or things I did not do or say
But thought that I might say or do,
Weigh me down, and not a day
But something is recalled,
My conscience or my vanity appalled.

VI

A rivery field spread out below,
An odour of the new-mown hay
In his nostrils, the great lord of Chou
Cried, casting off the mountain snow,
'Let all things pass away.'

Wheels by milk-white asses drawn
Where Babylon or Nineveh
Rose; some conqueror drew rein
And cried to battle-weary men,
'Let all things pass away.'

Mon regard errait du magasin à la rue
Quand soudain tout mon corps s'embrasa
Et pendant près de vingt minutes
Il me sembla, tel était mon bonheur,
Que j'étais béni, que je pouvais bénir.

V

Le soleil de l'été dore pourtant
Le feuillage embrumé du ciel,
La lune d'hiver aussi plonge les champs
Dans un dédale échevelé de tempêtes,
Mais je ne peux le voir
Tel est le poids de mes responsabilités.

Les choses dites ou faites il y a longtemps,
Celles que je n'ai pas dites ou faites
Mais que j'ai cru pouvoir dire ou faire
Pèsent sur moi et pas un jour
Que ne revienne quelque souvenir
Où s'épouvante ma conscience ou ma vanité.

VI

Tout là-bas un ruisseau dans un pré,
Dans ses narines l'odeur du foin coupé,
Le noble seigneur de Chou s'écria
En rejetant la neige des montagnes,
« Que passent toutes choses ».

Des roues que tournent des ânes d'un blanc laiteux
Où s'élevaient Ninive ou Babylone ;
Quelque conquérant, serrant la bride, cria
Aux guerriers repus de combats,
« Que passent toutes choses ».

From man's blood-sodden heart are sprung
Those branches of the night and day
Where the gaudy moon is hung.
What's the meaning of all song?
'Let all things pass away.'

VII

The Soul. *Seek out reality, leave things that seem.*
The Heart. *What, be a singer born and lack a theme?*
The Soul. *Isaiah's coal, what more can man desire?*
The Heart. *Struck dumb in the simplicity of fire!*
The Soul. *Look on that fire, salvation walks within.*
The Heart. *What theme had Homer but original sin?*

VIII

Must we part, Von Hügel, though much alike, for we
Accept the miracles of the saints and honour sanctity?
The body of Saint Teresa lies undecayed in tomb,
Bathed in miraculous oil, sweet odours from it come,
Healing from its lettered slab. Those self-same hands
    perchance
Eternalised the body of a modern saint that once

Du cœur de l'homme saoulé de sang
Jaillissent ces branches du jour et de la nuit
Où s'accroche le disque criard de la lune.
Que disent toutes les chansons ?
« Que passent toutes choses ».

VII

L'Âme : Recherche le réel, laisse les apparences.
Le Cœur : Quoi, être né chanteur et manquer de sujet ?
L'Âme : La braise d'Isaie[1], que peut-on souhaiter d'autre ?
Le Cœur : Foudroyé et sans voix dans la pureté du feu !
L'Âme : Considère ce feu, c'est là qu'est le salut.
Le Cœur : Le péché originel, n'est-ce pas le seul sujet
   d'Homère ?

VIII

Faut-il nous séparer, Von Hügel[2], bien que semblables,
Car nous recevons les miracles des Saints et honorons
   la sainteté ?
Le corps de Sainte Thérèse gît intact en sa tombe
Oint d'huile miraculeuse ; d'exquis parfums s'en
   échappent
Qui guérissent sur la dalle gravée. Les mêmes mains
Peut-être ont immortalisé le corps d'une Sainte
   aujourd'hui
Et vidé jadis la momie de Pharaon. Pour moi,

1. Cf. Isaie (VI, 6).
2. Baron Friedrich Von Hügel auteur de *L'Élément Mystique de la
Religion* (pour qui la vision chrétienne du monde est celle de l'artiste).

*Had scooped out Pharaoh's mummy. I–though heart
  might find relief*
Did I become a Christian man and choose for my belief
*What seems most welcome in the tomb–play a predes-
  tined part.*
Homer is my example and his unchristened heart.
The lion and the honeycomb, what has Scripture said?
*So get you gone, Von Hügel, though with blessings on
  your head.*

1932

Bien que mon cœur trouvât le réconfort si, devenu
    chrétien
Je choisissais de croire à ce qui fait la tombe hospitalière,
Je suis la route de mon destin.
Homère sera mon guide, avec son cœur de païen.
Le lion et le rayon de miel, que dit l'Écriture ?
Alors, laisse-moi, Von Hügel, bien que tu sois béni.

Composé 1931-1932

PAROLES POUR UNE MUSIQUE, PEUT-ÊTRE

*

WORDS FOR MUSIC PERHAPS

CRAZY JANE ON GOD

That lover of a night
Came when he would,
Went in the dawning light
Whether I would or no;
Men come, men go;
All things remain in God.

Banners choke the sky;
Men-at-arms tread;
Armoured horses neigh
Where the great battle was
In the narrow pass:
All things remain in God.

Before their eyes a house
That from childhood stood
Uninhabited, ruinous,
Suddenly lit up

JEANNE LA FOLLE [1] À PROPOS DE DIEU

Cet amant d'une nuit
Arriva à sa guise
Partit au petit jour
Que ça me plaise ou non ;
Les hommes viennent, les hommes vont ;
Toute chose en Dieu demeure.

Les étendards obstruent le ciel ;
Passent les hommes d'armes ;
Hennissent les chevaux en armure
Où se livra la grande mêlée
Dans l'étroit défilé ;
Toute chose en Dieu demeure.

Sous leurs yeux une maison
Qui depuis leur enfance était
Inoccupée et délabrée,
Tout à coup s'embrasa

---

1. Nouveau personnage féminin dans l'œuvre yeatsienne ; aux anti-
podes d'Hélène, belle, distante et porteuse de mort, cette fille des rues
apporte la vie avec l'amour et cette passion exultante née de l'union des
sexes comme de celle des esprits.
« Jeanne la Folle est plus ou moins à l'image d'une vieille femme qui
habite une petite chaumière près de Gort. » (Lettre à Mrs Shakespeare,
23 nov. 1931.)

From door to top:
All things remain in God.

I had wild Jack for a lover;
Though like a road
That men pass over
My body makes no moan
But sings on:
All things remain in God.

Du sol jusqu'au toit
Toute chose en Dieu demeure.

J'ai eu pour amant Jack le coquin ;
Bien que semblable à un chemin
Sur lequel passent les hommes
Mon corps ne s'est jamais plaint
Mais poursuit sa chanson
Toute chose en Dieu demeure.

CRAZY JANE TALKS WITH THE BISHOP

I met the Bishop on the road
And much said he and I.
'Those breasts are flat and fallen now,
Those veins must soon be dry;
Live in a heavenly mansion,
Not in some foul sty.'

'Fair and foul are near of kin,
And fair needs foul,' I cried.
'My friends are gone, but that's a truth
Nor grave nor bed denied,
Learned in bodily lowliness
And in the heart's pride.'

'A woman can be proud and stiff
When on love intent;
But Love has pitched his mansion in
The place of excrement;
For nothing can be sole or whole
That has not been rent.'

JEANNE LA FOLLE PARLE À L'ÉVÊQUE

J'ai rencontré l'évêque en chemin
Et nous avons beaucoup parlé.
« Ces seins sont devenus plats et flasques,
Dans ces veines bientôt ne coulera plus de sang ;
Vivez dans une demeure céleste
Non dans une infecte porcherie ».

« L'infecte et le propre sont parents proches
Et l'un ne peut aller sans l'autre », m'écriai-je.
« Mes amis ne sont plus, mais c'est une vérité
Confirmée par la tombe et le lit,
Apprise dans l'humilité du corps
Et dans l'orgueil du cœur ».

« Une femme peut être fière et droite
Quand elle a envie d'amour,
Mais l'Amour a bâti sa demeure
En un lieu d'excréments ;
Car rien ne peut être seul ou entier[1]
Qui n'ait d'abord été déchiré ».

---

1. La traduction appauvrit regrettablement l'ambiguïté et la poly-valence du texte dont les deux mots « sole » et « whole » suggèrent respectivement « soul » et « hole » (leurs homonymes) :
sole = seul / soul = âme,
whole = entier / hole = trou.
Nous demandons au lecteur de bien vouloir nous en excuser.

DERNIERS POÈMES

*

LAST POEMS

(1936-1939)

THE GYRES

The gyres! the gyres! Old Rocky Face, look forth;
Things thought too long can be no longer thought,
For beauty dies of beauty, worth of worth,
And ancient lineaments are blotted out.
Irrational streams of blood are staining earth;
Empedocles has thrown all things about;
Hector is dead and there's a light in Troy;
We that look on but laugh in tragic joy.

LES SPIRES [1]

Les Spires ! Les Spires ! Vieux Visage de Pierre [2], regarde ;
À penser trop longtemps, tu ne peux plus penser,
Trop de beauté se tue, trop de valeur aussi,
Les formes de jadis sont aujourd'hui perdues.
Un sang irrationnel coule et salit la terre [3] ;
Empédocle partout a semé le désordre ;
Hector est mort, il y a des flammes à Troie ;
Et nos yeux qui regardent ont un rire tragique.

1. Spire : Forme essentielle et symbole principal du système décrit dans *A Vision* (cf. *Le Second Avènement*, p. 187).

Double cône fait de deux spires antithétiques, complémentaires et contraires chacune naissant dans un mouvement giratoire de la mort de l'autre et se justifiant par elle. (Yeats dit que ce symbole lui fut communiqué par ses « Instructeurs ») et il cite Blake : « Les contraires sont positifs – Une négation n'est pas un contraire. »

2. Expression énigmatique :
– L'Ahasareus de Shelley ?
– Le propre Masque de Yeats ?
– Le visage de la Lune ?
– L'oracle de Delphes ?
Cf. *Ego Dominus Tuus* (p. 165).

3. Cf. *Le Second Avènement* (p. 187).

Le poète au rire tragique comme son masque, regarde le monde se défaire comme un spectateur ironique et las. Mais sur les Spires au mouvement cyclique reviendront ceux que Yeats rêva, ces êtres objectifs, forts et passionnés, quand les phases de la Lune permettront à nouveau cette sublime conjonction.

What matter though numb nightmare ride on top,
And blood and mire the sensitive body stain?
What matter? Heave no sigh, let no tear drop,
A greater, a more gracious time has gone;
For painted forms or boxes of make-up
In ancient tombs I sighed, but not again;
What matter? Out of cavern comes a voice,
And all it knows is that one word 'Rejoice!'

Conduct and work grow coarse, and coarse the soul,
What matter? Those that Rocky Face holds dear,
Lovers of horses and of women, shall,
From marble of a broken sepulchre,
Or dark betwixt the polecat and the owl,
Or any rich, dark nothing disinter
The workman, noble and saint, and all things run
On that unfashionable gyre again.

Qu'importe si triomphe une vision de mort
Si le corps est meurtri, sali de boue, de sang ?
Qu'importe ? Les soupirs et les larmes sont vains,
La grâce de nos jours plus beaux s'en est allée ;
Je ne désire plus trouver des figures peintes
Ni des boîtes de fard dans les anciens tombeaux ;
Qu'importe ? Une voix sort du fond de ces cavernes,
Et ne sait que ce cri : « Homme, Réjouis-toi ! ».

Nos actions et nos actes, notre âme aussi sont vils,
Qu'importe ? Ceux que chérit ce Visage de Pierre,
Amoureux des chevaux et amoureux des femmes,
Sauront, brisant enfin le marbre du sépulcre,
Hors de la nuit étrange des fouines et des hiboux,
Ou de tout le néant riche et noir, déterrer
Le saint, le noble, l'ouvrier, et de nouveau
Le monde tournera sur la spire insolite.

1936-1937

THE THREE BUSHES

(An incident from the *'Historia mei Temporis'* of the
Abbé Michel de Bourdeille)

Said lady once to lover,
'None can rely upon
A love that lacks its proper food;
And if your love were gone
How could you sing those songs of love;
I should be blamed, young man.'
                    O my dear, O my dear.

'Have no lit candles in your room,'
That lovely lady said,
'That I at midnight by the clock
May creep into your bed,
For if I saw myself creep in
I think, I should drop dead.'
                    O my dear, O my dear.

'I love a man in secret,
Dear chambermaid,' said she.

LES TROIS BUISSONS [1]

*(Anecdote tirée de « Historia Mei Temporis »
de l'Abbé Michel de Bourdeille)*

Une dame à son amant dit un jour :
« On ne peut pas compter
Sur un amour trop vite épuisé ;
Et si tu n'avais plus d'amour
Comment pourrais-tu chanter ces chansons d'amour ?
Ce serait de ma faute, jeune homme. »
    Ô mon chéri, Ô mon chéri.

« N'allume pas de lumière dans ta chambre »
Dit cette belle dame,
« Que je puisse quand minuit sonnera
Me glisser dans ton lit,
Mais si je me voyais le faire
Je crois que j'en mourrais. »
    Ô mon chéri, Ô mon chéri.

« J'aime un homme en secret,
Chère chambrière », dit-elle.

---

1. Cf. Lettre de Yeats à Dorothy Wellesley en juillet 1936.
« J'aime bien de nouveau ma longue ballade des *Trois Buissons*. Je crois que c'est un de mes meilleurs poèmes. »
Ce poème est conçu comme une ballade, c'est-à-dire un poème chanté et Yeats la fit mettre en musique et chanter, avec d'autres, au cours d'un repas à caractère plutôt officiel, le 26 mai 1937. Le poème fut l'objet d'une sorte de concours entre Yeats et D. Wellesley sur le thème de l'amant, de l'amante et de la servante.

'I know that I must drop down dead
If he stop loving me,
Yet what could I but drop down dead
If I lost my chastity?'
            O my dear, O my dear.

'So you must lie beside him
And let him think me there.
And maybe we are all the same
Where no candles are,
And maybe we are all the same
That strip the body bare.'
            O my dear, O my dear.

But no dogs barked, and midnights chimed,
And through the chime she'd say,
'That was a lucky thought of mine,
My lover looked so gay';
But heaved a sigh if the chambermaid
Looked half asleep all day.
            O my dear, O my dear.

'No, not another song,' said he,
'Because my lady came
A year ago for the first time
At midnight to my room,
And I must lie between the sheets
When the clock begins to chime.'
            O my dear, O my dear.

'A laughing, crying, sacred song,
A leching song,' they said.
Did ever men hear such a song?
No, but that day they did.
Did ever man ride such a race?
No, not until he rode.
            O my dear, O my dear.

« Je sais que pour sûr j'en mourrais
S'il cessait de m'aimer,
Mais sûr aussi que j'en mourrais
Si je perdais ma virginité. »
   Ô mon chéri, Ô mon chéri.

« Aussi, il faut que tu couches avec lui
Et lui fasses croire que c'est moi.
Peut-être sommes-nous toutes les mêmes
Quand il ne fait pas clair ;
Peut-être sommes-nous toutes les mêmes
Quand nous sommes toutes nues. »
   Ô mon chéri, Ô mon chéri.

Mais aucun chien n'aboya et minuit sonna,
Et dans le bruit des cloches, elle dit :
« Quelle bonne idée j'ai eue là,
Mon amant avait l'air si gai »
Mais de voir la chambrière toute endormie
Cela la faisait soupirer.
   Ô mon chéri, Ô mon chéri.

« Non, pas de nouvelle chanson », dit-il
« Parce que ma mie est venue
L'an dernier pour la première fois
À minuit dans ma chambre,
Et il faut que je reste au lit,
Quand l'heure se mettra à sonner. »
   Ô mon chéri, Ô mon chéri.

« Chanson à rire, à pleurer, chant sacré,
Chanson paillarde », dirent-ils
A-t-on jamais entendu pareille chanson ?
Non, sauf ce jour-là.
A-t-on jamais fait pareille chevauchée ?
Non, pas avant la sienne.
   Ô mon chéri, Ô mon chéri.

But when his horse had put its hoof
Into a rabbit-hole
He dropped upon his head and died.
His lady saw it all
And dropped and died thereon, for she
Loved him with her soul.
                    O my dear, O my dear.

The chambermaid lived long, and took
Their graves into her charge,
And there two bushes planted
That when they had grown large
Seemed sprung from but a single root
So did their roses merge.
                    O my dear, O my dear.

When she was old and dying,
The priest came where she was;
She made a full confession,
Long looked he in her face,
And O he was a good man
And understood her case.
                    O my dear, O my dear.

He bade them take and bury her
Reside her lady's man,
And set a rose-tree on her grave,
And now none living can,
When they have plucked a rose there,
Know where its roots began.
                    O my dear, O my dear.

Mais quand son cheval mit le sabot
Dans un trou de lapin
Il tomba sur la tête et en mourut.
Sa mie en fut témoin
Tomba et sur-le-champ en mourut
Car elle l'aimait de toute son âme.
      Ô mon chéri, Ô mon chéri.

La chambrière vécut longtemps
Et entretint leurs tombes,
Et y planta deux buissons
Qui semblèrent, une fois poussés,
Issus d'un même pied,
Tellement leurs roses se mêlaient.
      Ô mon chéri, Ô mon chéri.

Quand elle fut vieille et près de mourir
Le prêtre vint la voir chez elle ;
Elle lui confessa tout.
Longtemps dans les yeux il la fixa
Et, car c'était un brave homme,
Lui donna l'absolution
      Ô mon chéri, Ô mon chéri.

Il la fit enterrer
Près de l'amant de sa maîtresse
Et planta sur sa tombe un rosier,
Et personne aujourd'hui ne sait,
Quand il cueille une rose
De quel buisson elle est née.
      Ô mon chéri, Ô mon chéri.

THE STATUES

Pythagoras planned it. Why did the people stare?
His numbers, though they moved or seemed to move
In marble or in bronze, lacked character.
But boys and girls, pale from the imagined love
Of solitary beds, knew what they were,
That passion could bring character enough,
And pressed at midnight in some public place
Live lits upon a plummet-measured face.

No! Greater than Pythagoras, for the men
That with a mallet or a chisel modelled these
Calculations that look but casual flesh, put down
All Asiatic vague immensities,
And not the banks of oars that swam upon
The many-headed foam at Salamis.
Europe put off that foam when Phidias
Gave women dreams and dreams their looking-glass.

LES STATUES [1]

Pythagore en fut l'inventeur. Les gens de s'étonner :
    pourquoi ?
Ses nombres s'animaient sans doute ou semblaient
    s'animer
Dans le marbre ou le bronze, mais ils manquaient de
    caractère.
Garçons et filles, pâles de rêver à l'amour
En des lits solitaires, savaient pourtant ce qu'ils étaient,
Que la passion pouvait donner assez de caractère,
Et à minuit sur quelque place publique pressaient
Des lèvres ardentes sur un visage aux normes
    mathématiques.

Mais non ! Il y a plus grand que Pythagore, car les hommes
Dont le maillet ou le ciseau ont donné à ces calculs
L'apparence fortuite de la chair ont brisé
La vague immense et confuse des flots de l'Asie
Et non les bancs des rameurs qui, à Salamine,
Fouettèrent l'écume aux têtes multiples.
L'Europe a rejeté cette écume quand Phidias
A donné aux femmes les rêves et aux rêves leurs miroirs.

---

1. La lecture du texte de *Une Vision* éclaire considérablement le sens
de ce poème.
    Cf. aussi l'excellente étude faite de ce poème par Vivienne Koch dans
son livre *The Tragic Phase* (q.v.).

One image crossed the many-headed, sat
Under the tropic shade, grew round and slow,
No Hamlet thin from eating flies, a fat
Dreamer of the Middle Ages. Empty eyeballs knew
That knowledge increases unreality, that
Mirror on mirror mirrored is all the show.
When gong and conch declare the hour to bless
Grimalkin crawls to Buddha's emptiness.

When Pearse summoned Cuchulain to his side,
What stalked through the Post Office? What intellect,
What calculation, number, measurement, replied?
We Irish, born into that ancient sect
But thrown upon this filthy modern tide
And by its formless spawning fury wrecked,
Climb to our proper dark, that we may trace
The lineaments of a plummet-measured face.

April 9, 1938

Sur ces têtes multiples une forme passa assise
Dans l'ombre des tropiques ; elle s'alanguit, s'arrondit,
Non un Hamlet émacié à gober le vent, mais un
Rêveur replet des temps médiévaux. Les prunelles
    aveugles savaient
Que le savoir accroît l'irréel, qu'il n'est rien d'autre
Que reflet de miroir dans le miroir.
Quand le gong et la conque annoncent l'heure de la prière
Grimalkin se traîne en rampant vers le vide de Bouddha.

Quand Pearse[1] fit venir Cuchulain[2] à ses côtés,
Quel être majestueux traversa la Grande Poste ?[3]
Quel intellect, quel calcul ou mesure répondit ?
Nous autres d'Irlande, nés dans cette secte ancienne
Mais jetés sur ce flot immonde des temps modernes
Et naufragés sous la bave informe de sa fureur,
Nous montons vers nos vraies ténèbres pour y retracer
Les traits d'un visage aux normes mathématiques.

9 Avril 1938

1. Un des héros de la révolte de Pâques 1916 (cf. note au poème du même nom).
2. Héros (au sens grec du terme = demi-dieu) mythique du royaume d'Ulster, généreux et puissant, finalement tué après une vie de prouesses, par les ruses de Maeve, reine du Connaught.
3. La Grande Poste de Dublin fut le théâtre d'un massacre lors de la révolte de Pâques. Elle abrite également une statue de Cuchulain.

UNDER BEN BULBEN

[...]

V

Irish poets, learn your trade,
Sing whatever is well made,
Scorn the sort now growing up
All out of shape from toe to top,
Their unremembering hearts and heads
Base-born products of base beds.
Sing the peasantry, and then
Hard-riding country gentlemen,
The holiness of monks, and after
Porter-drinkers' randy laughter;
Sing the lords and ladies gay
That were beaten into the clay
Through seven heroic centuries;
Cast your mind on other days
That we in coming days may be
Still the indomitable Irishry.

AU PIED DE BEN BULBEN (FIN)

[...]

V

Poètes d'Irlande, apprenez votre métier,
Chantez toute chose bien faite,
Méprisez cette espèce qui grandit de nos jours,
Êtres informes des pieds jusqu'à la tête,
Aux cœurs, aux cerveaux sans mémoire,
Vils enfants de couches viles.
Chantez les paysans et aussi
Les gentilshommes campagnards, rudes cavaliers,
La sainteté des moines, et puis
Le rire gras des buveurs de bière ;
Chantez les seigneurs et les dames pleins d'entrain
Qui furent pétris dans l'argile
Durant sept siècles d'héroïsme.
Que d'autres jours occupent votre esprit
Et qu'ainsi nous soyons dans les jours à venir
Le peuple toujours indomptable de l'Irlande.

Under bare Ben Bulben's head
In Drumcliff churchyard Yeats is laid.
An ancestor was rector there
Long years ago, a church stands near,
By the road an ancient cross.
No marble, no conventional phrase;
On limestone quarried near the spot
By his command these words are cut:

Cast a cold eye
On life, on death.
Horseman, pass by!

September 4, 1938

Sous la cime nue de Ben Bulben
Au cimetière de Drumcliff Yeats repose.
Un de ses ancêtres y fut jadis recteur,
Près de là une église,
Au bord du chemin une vieille croix.
Nul marbre, ni banale inscription ;
Dans le calcaire d'une carrière voisine
Selon sa volonté, ces mots sont gravés :

> *Jette un froid regard*
> *Sur la vie, sur la mort*
> *Cavalier, passe ton chemin !*

4 Septembre 1938

ANNEXES

L'Irlande de Yeats.

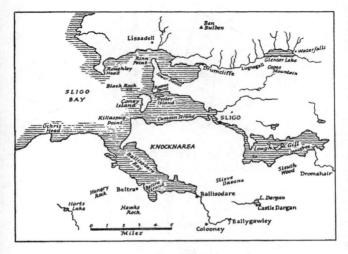

I – Le Comté de Sligo

II – Le Comté de Galway

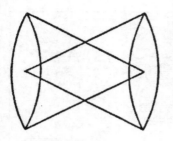
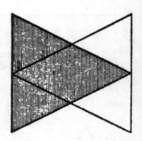

III – Les spires (cf. note 2 du poème
Le Second Avènement, p. 187).

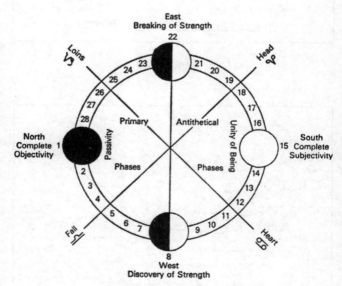

The Great Wheel of the Lunar Phases

IV – Schéma de *A Vision*
(cf. note 2 p. 129 et note 1, p. 231).

BIBLIOGRAPHIE
(Liste non limitative)

I. Œuvres de W.B. Yeats :

Collected Poems. McMillan, 1958.
A variorum edition of the Poems of W.B. Yeats, edited by Peter Allt & Russel K. Alspach. McMillan, 1968.
Autobiographies. McMillan, 1953.
Essays & Introductions. McMillan, 1961.
Explorations. McMillan, 1962.
Memoirs. ed. Denis Donoghue. McMillan, 1972.
Mythologies. McMillan, 1959.
A Vision. McMillan, 1985.
Letters on Poetry to Dorothy Wellesley. O.U.P., 1964.

II. Biographies et études critiques :

A. Norman Jeffares, *W.B. Yeats*, *A new Biography*. Hutchinson, 1988.
R. Ellmann, *The Man & the Mask,* 1979.
T.R. Henn, *The Lonely Tower*, 1965.
J. Unterecker, *A Reader's Guide to W.B. Yeats*. Thames & Hudson, 1959.
B.L. Reid, *W.B. Yeats : The Lyric of Tragedy*. University of Oklahoma Press, 1961.
V. Koch, *W.B. Yeats, the Tragic Phase*. Routledge & Kegan, 1951.

L. McNeice, *The Poetry of W.B. Yeats*. Faber & Faber, 1970.

D. Donoghue, *W.B. Yeats*. Seghers (Poètes d'aujourd'hui), 1973.

K. Raine, *Yeats & Kabir* in *Temenos* n° 5, pp. 7-28, 1984.

P. Ure, *Towards a Mythology : Studies in the Poetry of W.B. Yeats*. University Press of Liverpool.

Sir J.G. Frazer, *The Golden Bough*. McMillan.

TABLE

Dramatis personae, Aliénation,
La Mort de Synge
Mercure de France, 1974

Choix de poèmes
Aubier, 1975, 1990

Dix-sept Poèmes
La Délirante, 1978

Vision
Fayard, 1979

Explorations
Presses Universitaires de Lille, 1981

Le Crépuscule celtique
Presses Universitaires de Lille, 1983

Le Vent parmi les roseaux
Fata Morgana, 1984

La Taille d'une agate et autres essais
Klincksieck, 1984

Essais et introductions
Presses Universitaires de Lille, 1985

Quarante-cinq Poèmes
suivi de La Résurrection
Hermann, 1989
et « Poésie/Gallimard », nº 273, 1993

Prose inédite de W. B. Yeats
Vol. 1 Mythe, folklore, religion et occultisme
Presses universitaires de Caen, 1989

Byzance
La Délirante, 1990

Prose inédite de W. B. Yeats
Vol. 2 Vie publique et nationalisme
Presses universitaires de Caen, 1990

Prose inédite de W. B. Yeats
Vol. 3 Critique littéraire et artistique
Presses universitaires de Caen, 1990

Les Cygnes sauvages à Coole
Verdier, 1991

Prose inédite de W. B. Yeats
Vol. 4 Critique théâtrale
Presses universitaires de Caen, 1991

Trois nô irlandais
José Corti, 1994

Derniers poèmes
Verdier, 1994

Michael Robartes et la Danseuse
Verdier, 1994

Le Frémissement du voile
Mercure de France, 1995

La Rose secrète et autres textes
Hatier, 1991
José Corti, 1995

COMPOSITION : IGS-CP À L'ISLE-D'ESPAGNAC
IMPRESSION : NORMANDIE ROTO IMPRESSION S.A.S., À LONRAI
DÉPÔT LÉGAL : OCTOBRE 2008. N° 98200-4(131819)
Imprimé en France

Collection Points Poésie

Collection Points